Tolerantie

Dit boek is oorspronkelijk verschenen in het kader
van de *Castle Lectures* over ethiek, politiek
en economie.
Het is opgedragen aan de volgende generatie,
Sarah en John, Rebecca en Keith, en de volgende,
Joseph en Katya

Michael Walzer

Tolerantie

Uitgeverij Ten Have

Oorspronkelijke titel *On Toleration* (Yale University, Londen 1997)
Copyright © 1998 Ten Have (Nederlandse vertaling)
Vertaald uit het Engels door André Haacke & Ruud van der Helm, Amsterdam
Omslagontwerp: Jacqueline Heijmerink
Verspreiding in België: Uitgeverij Westland n.v., Schoten

ISBN 90 259 4751 4
NUGI-code 615/661

Inhoud

Voorwoord

Als Amerikaanse jood ben ik opgegroeid met de gedachte dat ik een object van tolerantie was. Het was pas veel later dat ik inzag dat ik zelf ook een subject was, dat er op mij een beroep werd gedaan om anderen te tolereren, inclusief andere joden, wier idee van joods-zijn volstrekt anders was dan het mijne. Mijn ontluikende inzicht over de Verenigde Staten als een land waar iedereen alle anderen moet tolereren (een uitspraak die ik later zal uitleggen), vormde het uitgangspunt voor dit essay. Het zette mij ertoe aan na te denken over de manier waarop andere landen verschillend zijn, en slechts zelden intolerabel verschillend. Amerika is niet de wereld!

Tolereren en getolereerd worden komt enigszins overeen met Aristoteles' heersen en overheerst worden; het is een onderneming van democratische burgers. Ik denk niet dat het een gemakkelijke of onbelangrijke onderneming is. Tolerantie wordt vaak onderschat, alsof het het minste is wat wij kunnen doen voor onze medemensen, het minimaalste waar zij recht op hebben. In feite neemt tolerantie (de houding) veel verschillende vormen aan; eveneens kan tolerantie (de praktijk) op verschillende manieren worden geregeld. Zelfs de meest terughoudende vormen en netelige regelingen vormen een goede zaak; ze komen zo zelden voor in de menselijk geschiedenis, dat zij niet alleen een praktische, maar ook een theoretische appreciatie vereisen. Zoals geldt voor andere dingen die wij waarderen, moeten wij ons afvragen wat het is dat tolerantie instandhoudt, hoe tolerantie werkt; ook dat is een belangrijk doel van dit essay. Hier wil ik echter alleen aanduiden wat het is dat tolerantie instandhoudt. Het houdt het leven zelf in stand – vervolging leidt immers vaak tot de dood – en het houdt ook het dagelijkse leven in stand, de verschillende gemeenschappen waarin wij leven. Tolerantie zorgt ervoor dat anders-zijn mogelijk is; anders-zijn maakt tolerantie noodzakelijk.

Een verdediging van tolerantie hoeft niet een verdediging van anders-zijn te zijn. Het kan, en vaak is het dat, niets meer dan een argument uit noodzaak zijn. Maar ik schrijf hier met groot respect over anders-zijn, hoewel ik niet respect heb voor alle voorbeelden ervan. In het maatschappelijke, politieke en culturele leven prefereer ik het vele boven het ene. Tegelijkertijd erken ik dat ieder regime van tolerantie tot een bepaalde hoogte uniek en eenduidig moet zijn, in staat moet zijn om de loyaliteit van zijn leden te werven. Coëxistentie eist een politiek stabiele en moreel legitieme regeling en ook dit is een object dat de moeite waard is om na te streven. Het is denkbaar dat er een enkele regeling is die de beste van alle mogelijke is, maar ik ben geneigd om bij deze propositie vraagtekens te zetten; tegenargumenten hiervoor zal ik in de inleiding aanvoeren. In ieder geval zal ik niet meer dan een beschrijving proberen te geven van enkele mogelijkheden en daarna een analyse en verdediging van de mogelijkheid die voor ons hier en nu het geschiktst lijkt te zijn, voor ons Amerikanen die op het punt staan de eenentwintigste eeuw binnen te treden; de mogelijkheid die het best past bij onze feitelijke diversiteit, en deze versterkt en vermeerdert.

Inleiding

Hoe te schrijven over tolerantie

De afgelopen jaren heeft het filosofisch betoog vaak een procedurele vorm aangenomen. Een filosoof stelt een originele positie voor, een ideale taalsituatie of een gesprek in een ruimteschip. Al deze mogelijkheden worden bepaald door een aantal beperkingen, spelregels als het ware, voor de participerende partijen. De partijen vertegenwoordigen de rest van ons. Zij redeneren, onderhandelen en praten binnen de beperkingen die zijn ontworpen om het formele criterium van iedere moraal af te dwingen: absolute onpartijdigheid of een of andere functionele equivalent daarvan. Ervan uitgaande dat deze eis succesvol is, kunnen de conclusies die de partijen hebben getrokken naar alle waarschijnlijkheid worden geaccepteerd als moreel gezaghebbend. Op deze wijze verkrijgen wij sturende principes voor al onze feitelijke redeneringen, onderhandelingen en gesprekken – en ook voor al onze politieke, sociale en economische activiteiten – binnen reële omstandigheden. Voor zover wij daartoe in staat zijn, behoren wij deze principes effectief toe te passen in ons leven en in onze maatschappij.[1]

In de hiernavolgende bladzijden heb ik een andere benaderingswijze gevolgd, die ik in deze korte inleiding wil uitleggen en verdedigen. Ik zal geen poging ondernemen tot een syste-

matisch filosofische redenering, hoewel in dit essay alle noodzakelijke kenmerken van een dergelijke argumentatie wel
voorkomen. De lezer zal enkele algemene methodologische
indicaties en overwegingen aantreffen, vervolgens een uitgebreide illustratie met historische voorbeelden, een analyse
van praktische problemen en een voorzichtige en onvolledige
conclusie. Dit is alles wat de benaderingswijze toestaat. Mijn
onderwerp is tolerantie oftewel, misschien beter uitgedrukt,
de vreedzame coëxistentie van groepen mensen met een verschillende geschiedenis, cultuur en identiteit; hierdoor wordt
tolerantie mogelijk. Ik begin met de propositie dat vreedzame
coëxistentie (van een bepaalde aard, ik heb het hier niet over
de coëxistentie van meesters en slaven) altijd een goede zaak
is. Niet omdat mensen dit in feite altijd appreciëren; vaak
doen zij dat onloochenbaar niet. De indicatie dat zij dit goed
vinden, is de sterke inclinatie die zij altijd hebben om te zeggen dat zij dit appreciëren: zij kunnen zich niet rechtvaardigen, tegenover zichzelf noch tegenover een ander, zonder dat
zij de waarde onderschrijven van vreedzame coëxistentie en
van het leven en de vrijheid die dat oplevert.[2] Dit is een feit
over de morele wereld, althans in de beperkte zin dat de be-
wijslast van de argumentatie toevalt aan degenen die deze
waarden verwerpen. Het zijn de beoefenaars van religieuze
vervolging, van gedwongen assimilatie, van heilige oorlogen
of 'etnische zuivering', die zich dienen te rechtvaardigen en
meestal doen zij dat niet door te verdedigen waar zij mee
bezig zijn, maar door te ontkennen wat zij aan het doen zijn.
Vreedzame coëxistentie kan echter zeer verschillende politieke vormen aannemen, met verschillende implicaties voor het
dagelijkse morele leven. Dat wil zeggen voor de feitelijke interacties en wederzijdse betrokkenheid van individuele mannen en vrouwen. Geen van deze vormen is universeel geldend.

Behalve de minimalistische claim op de waarde vrede – en de regels van verdraagzaamheid die dat impliceert (ruwweg komen die overeen met de gebruikelijke weergave van de fundamentele mensenrechten) – zijn er geen principes die alle regimes van tolerantie bepalen of die van ons eisen onder alle omstandigheden, altijd en overal, te handelen op basis van een bepaalde verzameling politieke of constitutionele arrangementen. Procedurele argumenten kunnen ons in dit geval niet van dienst zijn, met name omdat zij niet relateren aan een bepaalde tijd en plaats, en niet voldoende rekening houden met de omstandigheden. Het alternatief dat ik van plan ben te verdedigen, is een historisch en contextueel verslag van tolerantie en coëxistentie. Een verslag dat de verschillende vormen onderzoekt die zij in werkelijkheid hebben aangenomen en de normen van het dagelijkse leven die verenigbaar zijn met beide. Het is noodzakelijk te kijken zowel naar de ideale versies van deze praktische regelingen als naar hun kenmerkende, historisch gedocumenteerde afwijkingen. Eveneens moeten wij in overweging nemen hoe de regelingen worden ervaren door de verschillende participanten – zowel groepen als individuen, zowel degenen die ervan profiteren als degenen die eronder lijden – en vervolgens hoe zij worden gezien door buitenstaanders, participanten aan de andere regimes van tolerantie.

Is dit echter niet slechts een zuivere positivistische, of nog erger, een relativistische analyse? Hoe kunnen wij een kritische maatstaf bereiken zolang er geen superieur standpunt of een gezaghebbende participant is? Hoe kunnen we de verschillende regimes rangschikken en ordenen? Ik ben niet van plan dat te doen en ik heb er ook geen enkele moeite mee om het niet te doen. Het lijkt mij niet plausibel dat de diverse soorten politieke regelingen die ik in overweging wil nemen –

bijvoorbeeld multinationale rijken en natiestaten of de historische voorbeelden hiervan (het Ptolemeïsche rijk, het Romeinse Alexandrië, het Ottomaanse rijk of de Habsburgse Oostenrijks-Hongaarse dubbelmonarchie, het huidige Italië, Frankrijk, Noorwegen, enzovoort) – kunnen worden gerangschikt in een enkele reeks, alsof wij aan iedere regeling een bepaalde hoeveelheid morele waarde kunnen toekennen: zeven, negentien of eenendertighalf.

Wij kunnen natuurlijk ongetwijfeld zeggen dat een regeling die waarschijnlijk zal leiden tot vervolging of burgeroorlog slechter is dan een regeling die stabieler is. Maar wij kunnen bijvoorbeeld niet zeggen dat een regeling die het voortbestaan van groepen prefereert boven de vrijheid van individuen systematisch gezien inferieur is aan een regeling die individuele vrijheid prefereert boven het voortbestaan van de groep; groepen bestaan immers uit individuen van wie velen, dat lijkt me duidelijk, volmondig de eerste regeling zouden verkiezen boven de tweede. Noch kunnen wij zeggen dat de neutraliteit van de staat en vrijwillige samenwerking, volgens het model van John Locke's 'Letters on Toleration', de enige of beste manier is waarop men met religieus en etnisch pluralisme kan omgaan. Het is een zeer goede manier die zich schikt naar de ervaring van protestantse congregaties in bepaalde maatschappijvormen, maar zij heeft niets te maken met deze ervaring; bovendien moeten die maatschappijen worden verdedigd en niet eenvoudigweg aangenomen. Radicale aanvallen op individuele vrijheid, en de daarmee verbonden rechten, kunnen makkelijk worden veroordeeld, net als militaire en politieke (maar geen intellectuele) bedreigingen voor het voortbestaan van een bepaalde groep: deze zijn inconsistent met minimale coëxistentie. Bovendien zijn vergelijkingen tussen regelingen moreel en politiek gezien behulpzaam voor het denken over waar wij zijn en welke alternatieven voor ons beschikbaar kunnen zijn, maar zij nemen niet de plaats in van dwingende oordelen.

De waarde van een nauwkeurig, met de omstandigheden rekening houdend verslag over de verschillende regimes van tolerantie, zowel in hun ideale als hun actuele versies, ligt met name in deze behulpzaamheid. Want hoewel de regimes politieke en culturele eenheden vormen, waarbinnen hun voor- en nadelen nauw met elkaar zijn verbonden, zijn het geen organische eenheden. Het is niet zo dat als enkele interne verbanden binnen het regime worden verbroken of opnieuw geordend, het veroordeeld zou zijn tot een politieke dood. Niet iedere hervorming is een totale verandering en zelfs een totale verandering kan geleidelijk, over een lange tijdsperiode, plaatsvinden. Ongetwijfeld zal een dergelijk proces worden gekenmerkt door conflicten en problemen, maar niet door radicale ontwrichting of ineenstorting van het regime. Indien dit of dat aspect van een regeling dáár nuttig lijkt te kunnen zijn híer, met passende modificaties, dan kunnen wij streven naar een dergelijke hervorming met als doel dat wat het best is voor ons gezien de groepen die wij waarderen en de individuen die wij zijn.

Wat echter niet mogelijk is, is het combineren van de 'mooiste' kenmerken van alle afzonderlijke regelingen, gebaseerd op de vooronderstelling dat door hun overeenkomstige 'mooiheid' (de aantrekkingskracht die zij voor ons hebben) zij in werkelijkheid ook bij elkaar passen en een effectieve en harmonieuze eenheid zullen vormen. In ieder geval zijn soms, en waarschijnlijk zeer vaak, de dingen die wij bewonderen in een bepaalde historische regeling functioneel gerelateerd aan de dingen die wij vrezen of waar wij een weerzin tegen voelen.[3] Het is een voorbeeld van wat wij 'slecht utopisme' kun-

nen noemen om ervan uit te gaan dat wij de dingen die wij bewonderen kunnen overnemen en de andere dingen kunnen
vermijden. Filosofie dient historisch geïnformeerd en sociolo-
gisch competent te zijn als het slecht utopisme wil vermijden
en als zij de moeilijke keuzen wil erkennen die vaak moeten
worden gemaakt in het politieke leven. Hoe moeilijker de
keuzes zijn, des te onwaarschijnlijker is het dat een resultaat,
en dan ook slechts één, filosofische instemming krijgt. Misschien moeten wij hier voor de ene manier kiezen en daar
voor de andere manier, voor deze manier nu en ergens in de
toekomst misschien voor een andere manier. Misschien moeten al onze keuzes voorlopig en experimenteel zijn, altijd onderhevig aan herziening of zelfs verwerping.

De idee dat onze keuzes niet worden bepaald door een enkel
universeel principe (of een verzameling van met elkaar gerela-
teerde principes) en dat de juiste keuze hier ergens anders niet
op dezelfde wijze juist hoeft te zijn, is strikt genomen een rela-
tivistisch idee. De beste politieke regeling is relevant voor de
geschiedenis en de cultuur van de mensen wier levens het zal
ordenen. Dit lijkt mij nogal vanzelfsprekend. Maar ik verde-
dig niet een onbegrensd relativisme, want geen enkele regeling, en geen enkel kenmerk van een regeling, is een morele
optie tenzij deze een of andere vorm van vreedzame coëxistentie oplevert (en daardoor de fundamentele mensenrechten
instandhoudt). Wij kiezen binnen beperkingen en ik vermoed
dat het werkelijke meningsverschil tussen filosofen niet erover gaat of dergelijke beperkingen bestaan – niemand gelooft
serieus dat zij niet bestaan – maar hoe 'groot' zij zijn. De
beste wijze om deze 'grootte' in te schatten is een scala opties
te beschrijven en vervolgens de plausibiliteit en begrenzingen
van alle opties hard te maken binnen hun historische context.
Ik zal weinig te zeggen hebben over de regelingen die volledig

worden afgewezen, zoals monolitisch religieuze en totalitair politieke regimes. Het is voldoende hen te noemen en de lezers te herinneren aan hun historische realiteit. Geplaatst tegenover deze realiteit is vreedzame coëxistentie zonder meer een belangrijk en wezenlijk moreel principe.

Te verdedigen dat verschillende groepen en/of individuen moet worden toegestaan in vrede samen te leven, is geen verdediging dat ieder feitelijk en voorstelbaar verschil moet worden getolereerd. De verschillende regelingen die ik zal beschrijven, vertonen in feite verschillende graden van tolerantie ten opzichte van praktijken die de meerderheid van hun participanten vreemd of afschuwwekkend vinden; en dan natuurlijk ook meer of minder tolerant ten opzichte van de mannen en vrouwen die deze praktijken belijden. Wij kunnen daarom de verschillende regelingen, de verschillende regimes van tolerantie, classificeren als meer of minder tolerant en zelfs een rangorde opstellen (met vele historische kwalificaties) van minder naar meer tolerant. Maar als wij beter kijken naar enkele van dit soort gewoonten, zal het snel duidelijk worden dat dit niet een morele rangorde is. De tolerantie van problematische gewoonten verschilt op complexe wijze in de verschillende regimes en de oordelen die wij vellen over deze verschillen, zijn naar alle waarschijnlijkheid even complex.

Deze complexiteit wil ik weergeven in mijn beschrijvingen van de verschillende regimes en van de problemen waar zij alle mee worden geconfronteerd; en vervolgens opnieuw in de speculaties over het moderne Amerika waarmee dit essay eindigt. Over de vormen van coëxistentie is nooit eerder in de geschiedenis zoveel gediscussieerd als tegenwoordig, omdat de directe nabijheid van het anders-zijn, de dagelijkse confrontatie met anders-zijn, nog nooit op zo'n intense wijze is ervaren. Door televisie te kijken en de dagbladen te lezen, lijkt het alsof deze ervaring toeneemt in de gehele wereld. Wij raken, misschien, in de verleiding om een enkele respons te formuleren. Maar zelfs zeer gelijksoortige confrontaties en transacties moeten noodzakelijkerwijs anders zijn als deze plaatsvinden tussen verschillende groepen mensen en als hierover wordt gereflecteerd door mannen en vrouwen met een verschillende geschiedenis en verschillende verwachtingen. Noodzakelijkerwijze worden ervaringen altijd door de cultuur overgedragen en ik heb als doel gesteld het verschil te respecteren dat door deze overdracht wordt veroorzaakt. Vandaar dat ik mijn eigen visie erover hoe de dingen moeten verlopen – hoe vreedzame coëxistentie het best kan worden geregeld – alleen geef in referentie naar mijn eigen tijd en ruimte, mijn eigen Amerikaanse realiteit. Aan het slot van dit essay zal ik voorzichtig en experimenteel deelnemen aan het debat over 'multiculturalisme'.[4] Maar ik geloof niet dat dit een debat is met een universeel of wereldhistorisch belang of dat de conclusies ervan ergens anders meer dan een heuristische waarde hebben. Iedereen in de wereld kan tegenwoordig leren van dit specifieke engagement met anders-zijn, maar niemand zal voldoende leren tenzij hij of zij vertrouwd is met vele andere engagementen.

Als laatste opmerking: mijn eigen vertrouwdheid met andere engagementen is gelimiteerd, net als bij iedereen. De betoogtrant van dit essay behandelt vooral voorbeelden uit Europa, Noord-Amerika en het Midden-Oosten. Ik moet vertrouwen op andere mensen om mij te vertellen of, en in welke mate, het betoog ook van toepassing is op Zuid-Amerikaanse, Afrikaanse of Aziatische realiteiten.

Hoofdstuk 1

Persoonlijke houdingen en politieke regelingen

Begin altijd negatief, instrueerde een leraar mij ooit. Vertel je lezers wat je van plan bent níet te gaan doen; dat zal hen geruststellen, want zij zijn eerder geneigd een bescheiden project te accepteren. Daarom zal ik dit pleidooi voor tolerantie beginnen met twee negatieve afbakeningen. Ik ga me niet richten op de tolerantie van excentrieke of dissidente individuen in de samenleving of zelfs in de staat. Individuele rechten kunnen eventueel dan wel ten grondslag liggen aan iedere vorm van tolerantie, maar ik ben vooral in deze rechten geïnteresseerd als zij gezamenlijk worden uitgeoefend (zoals door vrijwillige samenwerking, religieuze bijeenkomsten, culturele expressie of een gemeenschappelijk zelfbestuur) of als zij worden geclaimd door groepen ten gunste van hun leden. Het excentrieke individu, geïsoleerd door zijn anders-zijn, is vrij gemakkelijk te tolereren en tegelijkertijd is sociale weerzin en verzet tegen excentriciteit, hoewel niet echt prettig, niet vreselijk gevaarlijk. De inzet is veel hoger als wij ons richten op excentrieke en dissidente groepen.

Ook ga ik me hier niet richten op politieke tolerantie als de desbetreffende groepen oppositionele bewegingen of partijen vormen. Dit zijn groeperingen die naar politieke macht streven; zij zijn nodig binnen democratische regimes, die vrij letterlijk eisen dat er verschillende leiders zijn (met verschillende politieke programma's), ook als ze nooit een verkiezing winnen. Zij zijn medeparticipanten, zoals de teamleden van de tegenstander in een basketbalwedstrijd; zonder hen zou er geen wedstrijd zijn en daarom hebben zij het recht punten te scoren en te winnen, als zij dat kunnen. Problemen ontstaan alleen in het geval van mensen die de wedstrijd willen verstoren of beëindigen, terwijl zij wel de rechten van de spelers en de bescherming van de spelregels opeisen. Dit kan ongetwijfeld moeilijkheden opleveren, maar dergelijke problemen hebben weinig van doen met de tolerantie van het anderszijn, iets dat intrinsiek is verbonden met democratische politiek. Zij hebben eerder van doen met de tolerantie van verstoring (of het risico van verstoring). Een totaal andere kwestie.

Noch is het intolerantie ten opzichte van anders-zijn om een programmatisch antidemocratische partij te verbieden deel te nemen aan democratische verkiezingen; dat is slechts verstandig. Vragen rond tolerantie komen in een veel eerder stadium aan de orde, voordat macht op het spel staat, en wel als de religieuze gemeenschap of ideologische beweging wordt gevormd waaruit de politieke partij is voortgekomen. In dat stadium leven de leden eenvoudigweg onder ons, illiberaal of antidemocratisch anders. Moeten wij hun zedenpreken en gebruiken tolereren, en indien ja (zoals ik geloof), tot hoe ver kan deze tolerantie zich dan uitstrekken?

Ik ben echter geïnteresseerd in tolerantie als de verschillen de cultuur, godsdienst of levenswijze betreffen, als de anderen niet medeparticipanten zijn, als er geen gemeenschappelijke wedstrijd is, als er geen intrinsieke noodzaak aanwezig is voor de verschillen die zij cultiveren en tentoonspreiden. Zelfs een liberale maatschappij vereist niet een veelsoortigheid van etnische groepen of religieuze gemeenschappen. Haar existentie, zelfs haar floreren, is volledig compatibel met culturele homogeniteit. Tegen deze laatste claim is echter recent ingebracht dat het liberale idee van individuele autonomie alleen kan worden gerealiseerd in een 'multiculturele' samenleving, waarin pas de aanwezigheid van verschillende culturen een zinvolle keuze mogelijk maakt.[1] Maar autonome individuen kunnen evengoed kiezen tussen banen en beroepen, tussen potentiële vrienden en huwelijkspartners, tussen politieke doctrines, partijen en bewegingen, tussen stedelijke, voorstedelijke en landelijke leefpatronen, tussen intellectuele, semi-intellectuele en niet-intellectuele culturele vormen, enzovoort. Er lijkt geen reden te zijn waarom autonomie niet voldoende ontwikkelingsruimte kan vinden binnen een enkele culturele groep.

Evenmin eisen dit soort groepen, zoals democratische politieke partijen dat doen, dat er andere, gelijksoortige groepen zijn. Waar pluralisme een maatschappelijk gegeven is, en meestal is dat zo, zullen sommige groepen een concurrentiestrijd aangaan met andere groepen door bekeerlingen of aanhangers te winnen onder de niet of nauwelijks geëngageerde individuen. Maar hun belangrijkste doel is een levenswijze te handhaven onder hun eigen leden om hun eigen cultuur of geloof door te geven aan de komende generaties. In eerste instantie zijn zij naar binnen gericht, iets dat politieke partijen niet echt kunnen zijn. Tegelijkertijd eisen zij ook een vorm van maatschappelijke ruimte (buiten het woonhuis) om samen te komen, te bidden, te discussiëren, te vieren, elkaar te helpen, te studeren, enzovoort.

Welnu, wat betekent het om dergelijke groepen te tolereren? Opgevat als een houding of geestesgesteldheid, geeft tolerantie een aantal mogelijkheden weer. De eerste van deze mogelijkheden, die de oorsprong van religieuze tolerantie in de zestiende en zeventiende eeuw reflecteert, is eenvoudigweg een berustende acceptatie van anders-zijn omwille van de vrede. Mensen vermoorden elkaar jaar in jaar uit, vervolgens treedt

er, god zij dank, uitputting op en dat noemen wij dan tolerantie.[2] Maar wij kunnen een continuüm traceren van meer substantiële acceptatie. Een tweede mogelijke houding is een passieve, ontspannen, goedwillende onverschilligheid ten opzichte van anders-zijn: 'Op de wereld vind je allerlei soorten
mensen.' Een derde mogelijkheid vloeit voort uit een moreel
soort stoïcisme: een principiële erkenning dat de 'ander' rechten heeft, zelfs als hij deze rechten op een onaangename wijze
uitoefent.[3] Een vierde mogelijkheid drukt de openheid uit
voor de ander; nieuwsgierigheid, misschien zelfs respect, een
bereidheid te luisteren en te leren. En verderop langs de
schaal van het continuüm vinden wij de enthousiaste bekrachtiging van anders-zijn: een esthetische bekrachtiging,
waarin het anders-zijn wordt gezien als de representatie in
een culturele vorm van de omvang en de diversiteit van Gods
schepping, van de natuurlijke wereld; of een functionele bekrachtiging, waarin het anders-zijn wordt beschouwd, zoals
in het liberale multiculturele argument, als een noodzakelijke
voorwaarde voor de ontplooiing van de mens; een voorwaarde die de individuele man of vrouw de keuzes biedt waardoor
hun autonomie zinvol wordt.[4]

Maar misschien hoort deze laatste houding niet thuis bij mijn
onderwerp: hoe kan ik iets tolereren wat ik in feite beaam?
Als ik wil dat er hier, in deze maatschappij, anderen onder
ons zijn, dan tolereer ik het anders-zijn niet, maar ondersteunt het in feite. Het is echter niet noodzakelijk dat ik deze
of gene versie van anders-zijn ondersteunt. Ik kan heel goed
de voorkeur geven aan een andere vorm van anders-zijn die
cultureel of religieus dichter bij mijn eigen gewoonten of
overtuigingen staat (misschien zelfs verder ervan af, exotisch,
maar geen directe bedreiging). Tevens zullen er in elke pluralistische maatschappij altijd mensen voorkomen, hoezeer zij

ook verankerd zijn in hun toewijding aan pluralisme, voor wie bepaalde verschillen – misschien een vorm van religieuze verering, familiestructuren, eetgewoonten, seksuele gebruiken of kledingvoorschriften – moeilijk te verteren zijn. Hoewel zij de idee van anders-zijn aanhangen, tolereren zij slechts de concrete verschillen. Maar zelfs mensen die niet met deze moeilijkheid te kampen hebben, worden terecht tolerant genoemd: zij maken ruimte voor mannen en vrouwen wier overtuigingen zij niet overnemen, wier gebruiken zij weigeren te imiteren; zij coëxisteren met een anders-zijn dat, hoe zeer zij ook instemmen met de aanwezigheid ervan in de wereld, nog steeds anders blijft dan wat zij kennen, iets onbekends en vreemds. Over alle mensen die in staat zijn dit te doen zal ik zeggen, zonder rekening te houden met hun positie op het continuüm – berusting, onverschilligheid, stoïcijnse acceptatie, nieuwsgierigheid of enthousiasme – dat zij de deugd van de tolerantie bezitten.

Zoals wij zullen zien, is het een kenmerk van ieder succesvol regime van tolerantie dat het niet afhankelijk is van een bepaalde vorm van deze deugd; het is niet noodzakelijk dat alle participanten in het regime dezelfde positie innemen op het continuüm. Het kan het geval zijn dat sommige regimes makkelijker omgaan met berusting, onverschilligheid of stoïcisme, terwijl andere juist nieuwsgierigheid of enthousiasme dienen te stimuleren, maar ik kan hier eigenlijk geen systematiek in ontdekken. Zelfs het verschil tussen de meer collectivistische en de meer individualistische regimes wordt niet weerspiegeld in de houdingen die zij verlangen. Maar is tolerantie niet stabieler indien mensen verder op het continuüm staan? Moeten de openbare scholen bijvoorbeeld niet proberen hen op te schuiven? In werkelijkheid zal elk van deze houdingen, indien in voldoende mate aanwezig, tolerantie stabiliseren. Het beste opvoedkundige programma hoeft misschien niets anders in te houden dan het geven van een beeldende beschrijving van de gevolgen van religieuze en etnische oorlogen. Zonder twijfel zullen relaties tussen mensen uit verschillende culturele groepen worden verbeterd door hen – aan de hand van een beeldende beschrijving van de consequenties van intolerantie – meer dan de minimale tolerantie bij te brengen, maar dit geldt voor alle regimes; politiek succes is niet afhankelijk van de goede persoonlijke relaties die in de regimes voorkomen. Op het eind zal ik me echter moeten afvragen of deze claims overeind blijven staan tegenover de opkomende 'postmoderne' versie van tolerantie.

Nu zal ik echter alle maatschappelijke regelingen waarmee wij het anders-zijn incorporeren, ermee coëxisteren, een bepaalde maatschappelijke ruimte gunnen, behandelen als de geïnstitutionaliseerde vormen van een deugd zonder meer. Historisch gezien (in het Westen) zijn er vijf verschillende politieke regelingen geweest die tolerantie bevorderen, vijf modellen van een tolerante maatschappij. Ik claim niet dat de lijst uitputtend is, alleen dat hij de belangrijkste en interessantste mogelijkheden omhelst. Mengvormen van de verschillende regimes zijn natuurlijk ook mogelijk, maar ik wil deze vijf in dit essay in een enigszins ruwe vorm beschrijven door historische en ideaaltypische beschrijvingen met elkaar te verbinden. Daarna zal ik enkele voorbeelden van gemengde regimes onderzoeken, een blik werpen op de problemen waarmee de verschillende regelingen worden geconfronteerd en ten slotte iets zeggen over de maatschappelijke wereld en het zelfbegrip van mannen en vrouwen die elkaar tegenwoordig tolereren (in zoverre zij dat werkelijk doen, tolerantie is altijd een onzekere prestatie). Wat doen wij nou exact als wij anders-zijn tolereren?

Hoofdstuk 2

Vijf regimes van tolerantie

Multinationale rijken

De oudste regelingen vormen de grote multinationale rijken die begonnen, binnen onze doelstelling, met Perzië, Ptolemeïsch Egypte en Rome. In deze rijken bestaan de diverse groepen als autonome of semi-autonome gemeenschappen die politiek en wettelijk of cultureel en religieus van karakter zijn, en die in grote mate hun eigen activiteiten kunnen bepalen. De groepen hebben geen andere keuze dan met elkaar samen te leven, want hun interacties worden bepaald door de ambtenaren van het rijk die zich baseren op de bestaande imperiale wet – zoals het Romeinse *jus gentium* – die is ontworpen voor de handhaving van een minimale eerlijkheid, een eerlijkheid zoals deze wordt opgevat in het regeringscentrum van het rijk. In het belang van eerlijkheid, of iets anders, interfereren de bureaucraten normaal gesproken echter niet in de dagelijkse gang van zaken binnen de autonome gemeenschappen... zolang als zij maar belasting betalen en de vrede gehandhaafd blijft. Daarom kan men zeggen dat zij de verschillende levenswijzen tolereren en kan het regime van het multinationale rijk een regime van tolerantie worden genoemd, afgezien van het feit of de verschillende gemeenschappen zich tolerant tegenover elkaar opstellen of niet. Onder het bewind van het rijk zullen de leden, nillens willens, in de (meeste) van hun dagelijkse handelingen tolerantie vertonen. Sommigen zullen misschien leren anders-zijn te accepteren en een positie innemen op het continuüm dat ik in het vorige hoofdstuk heb beschreven. Maar het voortbestaan van de verschillende gemeenschappen is niet afhankelijk van deze acceptatie. Het wordt louter en alleen bepaald door officiële tolerantie die voor het grootste deel wordt gehandhaafd in het belang van vrede. Overigens hebben individuele ambtenaren hiervoor uiteenlopende redenen gehad, enkelen stonden zelfs bekend om hun nieuwsgierigheid naar anders-zijn of waren er fervente verdedigers van.[1] Deze imperiale bureaucraten zijn vaak beschuldigd van het volgen van een 'verdeel-en-heers'-politiek; soms was dat inderdaad ook hun politiek. Men moet echter onthouden dat zij niet degenen waren die de verschillen hadden veroorzaakt, verschillen die zij exploiteerden; ook moet men niet vergeten dat de mensen over wie zij heersten misschien best wel graag verdeeld en overheerst wilden zijn, al was het alleen al om de instandhouding van de vrede.

Historisch gezien zijn multinationale rijken de succesvolste manier om verschillen te incorporeren en vreedzame coëxistentie te vergemakkelijken (eisen is echter accurater). Maar het is niet, of het is dat tenminste nooit geweest, een liberale of democratische manier. Wat de aard van de verschillende autonome eenheden ook moge zijn geweest, het incorporerende regime is autocratisch. Ik wil deze autocratie niet idealiseren. Zij kan op wrede wijze onderdrukkend zijn in het belang van het instandhouden van haar veroveringen, zoals de geschiedenis van Babylonië en Israël, Rome en Carthago, Spanje en de Azteken, Rusland en de Tartaren, overduidelijk aangeeft. Maar het gevestigd bestuur van een multinationaal rijk is vaak tolerant; tolerant, juist omdat het overal autocratisch was (niet gebonden aan de belangen of vooroordelen van de veroverde groepen en met dezelfde afstandelijke houding ten opzichte van die groepen). Ondanks al hun vooroordelen en de endemische corruptie hebben Romeinse proconsuls in Egypte of de Britse regenten in India waarschijnlijk onpartijdiger geregeerd dan welke plaatselijke prins of tiran dan ook zou hebben gedaan; in feite onpartijdiger dan plaatselijke meerderheden waarschijnlijk heden ten dage.

De imperiale autonomie neigt ertoe individuen op te sluiten in hun gemeenschappen en aldus in een afzonderlijke etnische of religieuze identiteit. Het rijk tolereert groepen, hun machtsstructuren en traditionele gebruiken, maar niet (behalve in enkele kosmopolitische centra en hoofdsteden) vrij rondzwervende mannen en vrouwen. De geïncorporeerde gemeenschappen zijn geen vrijwillige samenwerkingen; historisch gezien hebben zij geen gecultiveerde liberale waarden. Hoewel er individuen zijn die de grenzen overschrijden (bijvoorbeeld bekeerlingen of afvalligen), zijn de gemeenschappen meestal gesloten, verplichten zij tot een of andere versie van religieuze orthodoxie en handhaven zij een traditionele manier van leven. Zolang zij beschermd worden tegen de meer heftige vormen van vervolging en zolang hen wordt toegestaan hun eigen zaken te regelen, hebben dit soort gemeenschappen een uitzonderlijk uithoudingsvermogen. Maar zij kunnen zeer streng optreden tegen afwijkende individuen, die beschouwd worden als een bedreiging voor hun interne samenhang en soms voor hun voortbestaan.

Daarom zullen afzonderlijke dissidenten en ketters, culturele vagebonden, partners van gemengde huwelijken en hun kinderen, naar de hoofdstad van het rijk vluchten, met als gevolg dat die waarschijnlijk een vrij tolerante en liberale plaats wordt (denk aan Rome, Bagdad, het keizerlijke Wenen of,

beter nog, Boedapest);[2] de enige plek waar de maatschappelijke leefruimte voorkomt die past bij de aard van het individu. Alle anderen, inclusief de vrije geesten en de potentiële
dissidenten die niet in staat zijn te verhuizen wegens economische redenen of familieverantwoordelijkheden, zullen in
homogene buurten of districten leven, onderworpen aan de
discipline van hun eigen gemeenschap. Zij worden daar als
collectief getolereerd, maar zij zullen niet worden verwel-
komd, of zelfs veilig zijn, als individuen wanneer zij de grenzen overschrijden die hen scheiden van de anderen. Zij kunnen slechts op een neutrale plek – bijvoorbeeld de markt, de
rijksrechtbanken en de gevangenissen – probleemloos met
anderen omgaan. Toch leven zij de meeste tijd in vrede, de ene
groep naast de andere, respect tonend voor zowel culturele
als geografische demarcaties.

Het oude Alexandrië is een nuttig voorbeeld voor – zo zouden wij het kunnen beschouwen – de imperiale versie van
multiculturalisme. Ruwweg was de stad een derde Grieks,
een derde joods en een derde Egyptisch, en het lijkt alsof tijdens de jaren van het Ptolemeïsche bewind de coëxistentie
van deze drie gemeenschappen opmerkelijk vreedzaam is geweest.[3] Later begunstigden Romeinse ambtenaren periodiek
hun Griekse onderdanen, misschien door culturele affiniteit
of misschien door hun superieure politieke organisatie (alleen
de Grieken waren formeel gezien burgers). Deze verzwakking
in de neutrale houding van het rijk leidde tot periodes van
bloedige conflicten in de stad. Messiaanse bewegingen onder
de Alexandrijnse joden, voor een deel een reactie op de Romeinse vijandigheid, brachten uiteindelijk de multiculturele
coëxistentie wreed tot een einde. Maar de eeuwen van vrede
wijzen op de goede kanten van het multinationaal regime.
Het is interessant dat, hoewel de gemeenschappen commer-

cieel en intellectueel gescheiden bleven, er veel commerciële en intellectuele interactie plaatsvond; vandaar dat de Helleense versie van het jodendom kon ontstaan dat, door de invloed van Griekse filosofen, werd voortgebracht door Alexandrijnse schrijvers als Philo. Behalve in de context van een dergelijk rijk, zou deze prestatie ondenkbaar zijn geweest.

Het *milletler*-systeem van de Ottomanen leverde een andere versie op van het multinationale regime van tolerantie, een versie die meer ontwikkeld en ook bestendiger was.[4] In dit geval waren de autonome gemeenschappen zuiver religieus van karakter en aangezien de Ottomanen islamitisch waren, namen zij geenszins een neutrale plaats in onder de religies. De officiële religie van het rijk was de islam, maar aan drie andere religieuze gemeenschappen – Grieks-orthodox, Armeens-orthodox en jodendom – werd het toegestaan autonome organisaties te vormen. Deze drie waren aan elkaar gelijk, zonder te letten op hun relatieve omvang. Vis-à-vis moslims hadden zij te maken met dezelfde restricties – kledingvoorschriften, het werven van bekeerlingen of het sluiten van gemengde huwelijken – en alle drie hadden toestemming gekregen dezelfde mate van wettelijke macht uit te oefenen over hun eigen leden. De *milletler* (het woord betekent religieuze gemeenschap) waren onderverdeeld volgens etnische, linguïstische en regionale criteria en bijgevolg werden sommige verschillen tussen de religieuze gewoonten opgenomen in het systeem. Maar de leden konden niet tegen hun eigen gemeenschap optreden door een beroep te doen op het recht op gewetensvrijheid of het recht op vergadering (en iedereen moest ergens deel van uitmaken). In de marges kwam echter meer tolerantie voor: zo verleenden de Ottomanen in de zestiende eeuw fiscale onafhankelijkheid aan Karaïetische sektariërs binnen het jodendom, maar niet een volledige status als *mil-*

letler. In de grond genomen stond het rijk wederom coulant tegenover groepen, maar niet tegenover individuen, tenzij de groepen zelf opteerden voor liberalisme (zoals een protestantse 'milletler', gesticht aan het eind van de Ottomaanse periode, blijkbaar heeft gedaan).

Tegenwoordig is dit alles verdwenen (de Sovjet-Unie was het laatste van dit soort rijken): de autonome instituten, de zorgvuldig instandgehouden grenzen, de etnische identiteitskaarten, de kosmopolitische hoofdsteden en de wijdvertakte bureaucratie. Uiteindelijk stelde deze autonomie niet veel voor (misschien is dit een van de redenen voor de ondergang van multinationale rijken); haar draagwijdte werd enorm verminderd door de invloed van moderne ideeën over soevereiniteit en door het samenvoegen van ideologieën die niet verenigbaar waren met een plooibare attitude ten opzichte van anders-zijn. Maar etnische en religieuze verschillen bleven voortbestaan en overal waar deze een territoriale basis hadden, behielden lokale instanties, die meer of minder representatief waren, enkele minimale functies en een ietwat symbolische autoriteit. Nadat het rijk was verdwenen, konden zij deze snel veranderen in een soort staatsapparaat dat werd gevoed door een nationalistische ideologie en dat was gericht op soevereine macht; vaak werden zij tegengewerkt door gevestigde plaatselijke minderheden die het rijksregime ten volle hadden gesteund en de laatste en koppigste verdedigers ervan waren geweest. Door soevereiniteit wordt men uiteraard lid van de internationale samenleving, de meest tolerante van alle samenlevingen, maar tot voor kort was het vrij moeilijk om daar in door te dringen. In dit essay zal ik de internationale samenleving slechts kort behandelen, maar het is belangrijk in te zien dat de meeste territoriaal gevestigde groepen het zouden prefereren te worden getolereerd als afzonderlijke natiestaten (of religieuze republieken) met regeringen, legers en grenzen; samenlevend met andere natiestaten in wederzijds respect of minimaal onder het bewind van een door alle staten erkende wet, zelfs als deze zelden zou worden toegepast.

Internationale samenleving

Internationale samenleving is in dit geval een anomalie, omdat het duidelijk geen binnenlands regime is; sommigen zouden zeggen dat het helemaal geen regime is, maar eerder een anarchistische en wetteloze toestand. Als dat waar is, zou dit een toestand van absolute tolerantie zijn: alles is mogelijk, niets is verboden, want niemand bezit het gezag om te verbieden (of toe te staan), hoewel een groot aantal van de participanten dat wel graag zou willen doen. In feite is de internationale samenleving echter niet anarchistisch; het is een heel zwak regime en ondanks de intolerantie van sommige staten die er deel van uitmaken, is het tolerant als regime. Alle groepen die een staat hebben gevormd en alle praktijken die zij toelaten (binnen beperkingen die ik verderop zal bespreken), worden getolereerd door de gemeenschap van staten. Tolerantie is een essentieel kenmerk van soevereiniteit en een belangrijke reden voor de wenselijkheid ervan.

Soevereiniteit garandeert dat niemand aan díe kant van de grens kan interfereren met wat er gebeurt aan déze kant. De mensen kunnen daar berustend, onverschillig, stoïcijns, nieuwsgierig of enthousiast zijn over bepaalde gebruiken en daarom niet de aandrang voelen om te interfereren. Of misschien accepteren zij de wederkerige logica van soevereiniteit: wij maken ons niet druk over jullie gebruiken als jullie je niet drukmaken over de onze. Leven en laten leven is relatief gezien een gemakkelijk maxime als het leven plaats heeft aan de andere kant van een duidelijk aangegeven lijn. Of zij kunnen onverholen vijandig zijn, enthousiast de cultuur en gebruiken van hun buurman kapittelen, maar niet bereid om de kosten van een interferentie te betalen. Gezien de aard van de internationale gemeenschap zullen de kosten waarschijnlijk hoog zijn: onder andere het inzetten van een leger, een grens overschrijden, doden en gedood worden.

Meestal nemen diplomaten en staatsmannen de tweede van deze houdingen aan. Zij accepteren de logica van soevereiniteit, maar kunnen niet simpelweg het gelaat afwenden van personen en gewoonten die zij intolerabel achten. Zij moeten onderhandelen met tirannen en moordenaars en, nog relevanter voor ons onderwerp, zij moeten tegemoetkomen aan de belangen van landen wier dominante cultuur of religie zaken vergoelijkt als onderdrukking, misogynie, racisme, slavernij of martelpraktijken. Als diplomaten handen schudden of brood breken met tirannen, dragen zij als het ware handschoenen; de handelingen hebben geen morele significantie. Maar de akkoorden die zij sluiten, hebben wel een morele significantie: het zijn daden van tolerantie. In het belang van de vrede of door hun overtuiging dat culturele of religieuze hervormingen van binnenuit moeten komen, plaatselijk moeten worden geïnitieerd, erkennen zij het andere land als een soeverein lid van de internationale gemeenschap. Zij erkennen zijn politieke onafhankelijkheid en territoriale integriteit; deze combinatie zorgt voor een veel sterkere versie van de gemeenschappelijke autonomie die in multinationale rijken werd gehandhaafd.

Diplomatieke regelingen en routines geven ons een idee van wat de formaliteit van tolerantie kan worden genoemd. Deze formaliteit heeft een plaats, hoewel minder zichtbaar, in het binnenlandse leven waar wij vaak coëxisteren met groepen met wie wij geen nauwe sociale betrekkingen onderhouden en willen onderhouden. De coëxistentie wordt geregeld door staatsambtenaren die tevens binnenlandse diplomaten zijn. Staatsambtenaren hebben natuurlijk meer autoriteit dan diplomaten en daarom wordt de coëxistentie die zij regelen veel meer afgedwongen dan de coëxistentie van de soevereine staten in de internationale gemeenschap.

Maar soevereiniteit kent ook haar grenzen. Deze worden het duidelijkst aangegeven door de wettelijke doctrine van humanitaire interventie. Daden en gebruiken die 'het bewustzijn van de mensheid choqueren', worden uit principe niet getolereerd.[5] Het enige wat dit in de praktijk inhoudt, gezien het zwakke regime van internationale gemeenschap, is dat iedere lidstaat het recht heeft geweld te gebruiken om te stoppen wat er gebeurt als wat er gebeurt verschrikkelijk genoeg is. De twee principes politieke onafhankelijkheid en territoriale integriteit protegeren barbarisme niet. Maar niemand is verplicht om geweld te gebruiken; het regime heeft geen agenten wier functie het is om intolerabele praktijken te onderdrukken. Ook als het overduidelijk is dat wreedheid op grote schaal voorkomt, is humanitaire interventie volledig vrijwillig. De praktijken van de Rode Khmer in Cambodja, om een gemakkelijk voorbeeld te nemen, waren moreel en wettelijk intolerabel. Omdat de Vietnamezen besloten het land binnen te vallen en een halt toe te roepen aan deze praktijken, werden zij ook feitelijk niet getolereerd. Maar deze fortuinlijke coïncidentie tussen wat intolerabel is en wat niet wordt getolereerd, is ongebruikelijk. Humanitaire intolerantie is meestal niet voldoende om de risico's terzijde te schuiven die een interventie met zich meebrengt; additionele redenen om te interveniëren – hetzij geopolitieke, economische of ideologische

– zijn slechts zelden beschikbaar.

Men kan zich een duidelijker geformuleerde reeks van beperkingen voorstellen die samenhangen met soevereiniteit: intolerabele gebruiken in soevereine staten kunnen de oorzaak zijn voor economische sancties door een aantal of alle leden van de internationale gemeenschap. De doorvoering van een gedeeltelijk embargo tegen de apartheid in Zuid-Afrika is daar een bruikbaar, hoewel ongebruikelijk voorbeeld van. Collectieve afkeuring, het opheffen van culturele uitwisselingen en doeltreffende propaganda kunnen ook de doelen van humanitaire intolerantie dienen, hoewel dit soort sancties slechts zelden effect sorteert.[6] Vandaar dat wij kunnen zeggen dat de internationale gemeenschap uit principe tolerant is; en vervolgens zelfs toleranter dan haar principes vereisen wegens de zwakheid van haar regime.

Consociaties of federatieve staten

Voordat ik de natiestaat als een mogelijke tolerante maatschappij behandel, wil ik beknopt aandacht besteden aan een morele, maar niet directe politieke erfgenaam van het multinationale rijk: de federatieve, 'bi- of trinationale' staat of consociatie.[7] Voorbeelden als België, Zwitserland, Cyprus, Libanon en Bosnië geven in dit geval zowel de mogelijke reikwijdte aan als de dreiging van een mislukking. Consociatie is een heroïsch programma, omdat het zich richt op de handhaving van imperiale coëxistentie zonder de rijksambtenaren en zonder de afstandelijke houding waardoor deze ambtenaren meer of minder tot onpartijdige bestuurders werden. Nu worden de verschillende groepen niet getolereerd door een enkele overstijgende macht; zij moeten elkaar tolereren en onderling de voorwaarden van hun coëxistentie uitwerken.

Het idee is aanlokkelijk: een eenvoudige, ongedwongen concurrentie tussen twee of drie gemeenschappen (in de praktijk tussen hun leiders en elites), waarbinnen openlijk wordt onderhandeld tussen of onder de partijen. Zij stemmen in met een grondwettelijke regeling, construeren instituten, verdelen de ambten en sluiten een politiek akkoord dat hun uiteenlopende belangen behartigt. Maar de consociatie is niet een volledig vrije constructie. Meestal leefden de gemeenschappen al gedurende lange tijd met elkaar samen (beter: naast elkaar) voordat zij met hun officiële onderhandelingen begonnen. Misschien waren zij in eerste instantie verenigd onder het bewind van een rijk; misschien kwamen zij pas voor eerst tot elkaar in hun strijd tegen dat bewind. Maar al deze connecties worden voorafgegaan door de nabijheid tot elkaar: coëxistentie in hetzelfde gebied, indien niet in dezelfde dorpen, daarna langs een grens die slechts grof was vastgelegd en makkelijk werd overschreden. Deze groepen spraken en deden zaken met elkaar, vochten en sloten vrede op lokaal niveau, maar immer met de blik gericht op de politie, het leger of een of andere buitenlands heerser. Nu hoeven zij alleen nog maar naar elkaar kijken.

Dit is niet onmogelijk. Succes is het waarschijnlijkst als de consociatie voorafgaat aan de opkomst van krachtige nationalistische bewegingen en aan de ideologische mobilisatie van de verschillende gemeenschappen. Het best wordt hierover onderhandeld door de elites van de oude 'autonomieën', die elkaar vaak met werkelijk respect bejegenen, die een gemeenschappelijke belang hebben in stabiliteit en vrede (en uiteraard ook in de voortzetting van de autoriteit van de elites), en die bereid zijn de politieke macht te delen. Maar de regelingen die de elites treffen, die de omvang en de economische kracht van de met elkaar verbonden gemeenschappen weerspiegelen, zijn daarna afhankelijk van de stabiliteit van hun maatschappelijke fundament. De consociatie is gebaseerd op de grondwettelijk beperkte dominantie van een van de partijen of op hun globale gelijkheid. Ambten worden verdeeld, quota's vastgelegd voor het ambtelijke apparaat en publieke fondsen toegewezen; dit alles op basis van deze beperkte dominantie of globale gelijkheid. Gezien deze overeenkomsten leeft iedere groep in relatieve veiligheid, overeenkomstig de eigen gebruiken, misschien zelfs het eigen gewoonterecht; ook kan de groep zijn taal niet alleen thuis spreken, maar ook in zijn eigen publieke ruimte. De oude leefwijzen worden niet verstoord.

Het is de angst voor verstoring, waardoor federatieve staten uit elkaar vallen. Maatschappelijke of demografische veranderingen verschuiven het fundament, veranderen het evenwicht van omvang en kracht, bedreigen de gevestigde patronen van dominantie of gelijkheid, ondermijnen de oude overeenkomsten. Opeens komt een van de partijen op de andere als gevaarlijk over. Wederzijdse tolerantie hangt af van vertrouwen, niet zozeer in elkaars goede wil, maar in de institutionele regelingen die beschermen tegen de gevolgen van slechte wil. Dan storten namelijk de doorgevoerde regelingen ineen en de resulterende onzekerheid maakt tolerantie onmogelijk. Ik kan niet tolerant zijn en leven naast een gevaarlijke ander. Wat is het gevaar dat ik vrees? Dat de consociatie zal worden veranderd in een reguliere natiestaat, waarin ik lid zal zijn van een minderheid, erop hopend te worden getolereerd door mijn voormalige partners die mijn tolerantie niet langer meer behoeven.

Libanon is een voor de hand liggend voorbeeld van zo'n droevige ineenstorting van een federatieve overeenkomst; het heeft als richtlijn gediend voor de beschrijving die ik hierboven heb gegeven. Maar in Libanon was iets meer aan de hand dan alleen maatschappelijke veranderingen. In principe zouden de nieuwe Libanese demografie of de nieuwe economie moeten hebben geleid tot nieuwe onderhandelingen over de oude regelingen, een eenvoudige herverdeling van ambten en openbare fondsen. Maar de ideologische transformaties die optraden met de maatschappelijke veranderingen, zorgden ervoor dat dit erg moeilijk te verwezenlijken was. Nationalistisch en religieus fanatisme, samen met hun onvermijdelijke bijverschijnselen wantrouwen en vrees, veranderden de onderhandelingen in een burgeroorlog (en brachten de Syriërs binnen als imperiale vredestichters). Tegen deze achtergrond is de consociatie duidelijk herkenbaar als een pre-ideologisch regime. Tolerantie is niet onmogelijk op het moment dat nationalisme en religie een rol gaan spelen en de consociatie kan altijd nog, moreel gezien, haar geprefereerde vorm zijn. In de praktijk is tegenwoordig echter de natiestaat het meest waarschijnlijke regime van tolerantie: een groep, dominant in het gehele land, geeft vorm aan het openbare leven en tolereert een nationale of religieuze minderheid; eerder dan twee of drie groepen, die alle veilig in hun eigen ruimte zitten en elkaar tolereren.

Natiestaten

De meeste staten die van de internationale gemeenschap deel uitmaken, zijn natiestaten. Deze naam betekent niet dat zij een nationaal (etnisch of religieus) homogene bevolking hebben. Homogeniteit in de huidige wereld is sporadisch, zoniet onbestaand. Het betekent slechts dat een dominante groep het gemeenschappelijke leven op een manier organiseert die haar eigen geschiedenis en cultuur weerspiegelt en, indien de zaken verlopen zoals beoogt, haar geschiedenis voortzet en haar cultuur instandhoudt. Het zijn deze oogmerken die de aard bepalen van het openbaar onderwijs, de symbolen en ceremoniën van het openbaar leven en de indeling van het kalenderjaar, zoals de vakantieperiodes. De natiestaat staat niet neutraal tegenover andere geschiedenissen en culturen; zijn politieke apparaat is een motor voor nationale reproductie. Nationale groepen proberen juist een staat te scheppen om controle te hebben over de middelen tot reproductie. Hun leden kunnen op meer hopen; zij kunnen ambities koesteren die uiteenlopen van politieke expansie of dominantie tot economische groei en binnenlandse welvaart. Maar wat hun initiatief rechtvaardigt, is de menselijke drift om te blijven overleven.

De staat die deze leden creëren, kan desalniettemin, zoals liberale en democratische natiestaten meestal doen, minderheden tolereren. Deze tolerantie neemt verschillende vormen aan, hoewel deze zich zelden ontwikkelt tot de volledige autonomie van de oude multinationale rijken. Met name regionale autonomie is moeilijk door te voeren, want dan zouden de leden van de dominante natie die in de desbetreffende streek leven, onderworpen worden aan een 'uitheems bewind' in hun eigen land. Noch zijn corporatistische regelingen gebruikelijk; op zich is de natiestaat al een soort culturele corporatie en hij claimt binnen zijn grenzen een monopolie over dergelijke regelingen.

Tolerantie in natiestaten is meestal niet gericht op groepen, maar op hun individuele leden die over het algemeen stereotiep worden beschouwd, in de eerste plaats als burgers en daarna als leden van deze of gene minderheid. Als burgers hebben zij dezelfde rechten en verplichtingen als alle anderen en er wordt van hen verwacht dat zij zich positief engageren met de politieke cultuur van de meerderheid; als leden bezitten zij de gestandaardiseerde kenmerken van hun 'soort' en het is hun toegestaan vrijwillige samenwerkingen te vormen, organisaties voor wederzijdse hulp, particuliere scholen, culturele verenigingen, uitgeverijen, enzovoort. Het wordt hun niet toegestaan om jurisdictie op autonome wijze te organiseren en toe te passen op hun leden. De religie, cultuur en geschiedenis van een minderheid zijn aangelegenheden voor, wat men kan noemen, het particuliere collectief; iets waar het publiekelijke collectief, de natiestaat, altijd wantrouwend tegenover staat. Iedere eis op een openbare culturele expressie van een minderheid zal waarschijnlijk tot ongerustheid leiden bij de meerderheid (vandaar de controverse in Frankrijk over het dragen op openbare scholen van hoofddoekjes door moslimmeisjes). In principe worden individuen niet ergens toe gedwongen, maar het is altijd vrij gebruikelijk geweest, en tot voor kort redelijk succesvol, om druk op hen uit te oefenen om zich te assimileren aan de dominantie natie, tenminste wat betreft openbare gewoonten. Toen negentiende-eeuwse Duitse joden zich beschreven als 'Duits op straat, joods thuis', probeerden zij te voldoen aan een norm van de natiestaat die teruggetrokkenheid tot een voorwaarde voor tolerantie had verheven.[8]

De taalpolitiek is een uiterst belangrijk gebied waar deze norm zowel wordt opgelegd als bestreden. Voor veel naties vormt de taal hét middel tot eenheid. Deels werden de naties gevormd door een proces van linguïstische standaardisatie; tijdens dat proces werden regionale dialecten gedwongen ruimte te maken voor het dialect van de dominante regio; niettemin slaagden enkele talen soms erin stand te houden om zo het brandpunt van subnationaal of protonationaal verzet te worden. De nalatenschap van deze geschiedenis is een grote weerstand om andere talen te tolereren buiten hun rol als communicatiemiddel in het gezin en binnen het religieuze leven. Vandaar dat de meerderheidsnatie gewoonlijk eist dat nationale minderheden haar taal leren en die in alle openbare aangelegenheden gebruiken, bijvoorbeeld als zij gaan stemmen, naar de rechtbank gaan, een contract bekrachtigen, enzovoort.

Minderheden, indien sterk genoeg – met name als zij een territoriale basis hebben – zullen de legitimatie nastreven van het gebruik van hun eigen taal op openbare scholen, in wettelijke documenten en op openbare wegbewijzering. Soms wordt een van de minderheidstalen erkend als tweede officiële taal; veel vaker echter wordt de taal alleen nog gesproken in het gezin, in de kerk en op particuliere scholen (of gaat langzaam en smartelijk verloren). Tegelijkertijd merkt de dominante natie hoe zijn eigen taal veranderd door het gebruik ervan door de minderheden. Universiteiten en linguïsten worstelen om een 'zuivere' versie te handhaven, maar hun landgenoten zijn meestal opmerkelijk bereid de versie van minderheden of buitenlanders te accepteren. Ik veronderstel dat ook dit een test voor tolerantie is.

In natiestaten, zelfs in liberale natiestaten, is minder ruimte voor anders-zijn dan in multinationale rijken of consociaties, en uiteraard veel minder dan in de internationale gemeenschap. Aangezien de getolereerde leden van de minderheidsgroep ook burgers zijn, met rechten en verplichtingen, zijn de gebruiken van de groep veel meer onderhevig aan de kritische blik van de meerderheid dan in multinationale rijken. Discriminatie- en machtsstructuren die al lange tijd worden geaccepteerd in de groep – of in ieder geval niet tegengewerkt – kunnen niet langer worden geaccepteerd als de leden zijn erkend als burgers. (Ik zal hiervan enkele voorbeelden behandelen in hoofdstuk 4.) Maar hier is sprake van een dubbel effect, waarmee elke theorie over tolerantie rekening moet houden: hoewel de natiestaat minder tolerant tegenover groepen staat, kan hij heel goed groepen dwingen meer tolerant tegenover individuen te staan. Dit tweede effect is een gevolg van de (gedeeltelijke en incomplete) transformatie van de groepen binnen vrijwillige samenwerkingen. Als de interne controle zwakker wordt, kunnen minderheden hun leden slechts behouden als hun doctrines overtuigend zijn, hun cultuur aantrekkelijk is, hun organisaties dienstbaar zijn en hun opvatting over het lidmaatschap liberaal en verdraagzaam is. In feite is er ook een alternatieve strategie, namelijk een rigide sektarische afzondering. Maar dit geeft slechts hoop op het behouden van een klein restant werkelijke gelovigen. Voor de meeste mensen zijn meer open en lossere regelingen noodzakelijk. Dit soort regelingen levert echter een veel voorkomend gevaar op en dat is dat de typische kenmerken van de groep en zijn manier van leven langzaam zullen verdwijnen.

Ondanks deze moeilijkheden is een aantal significante verschillen, met name religieuze verschillen, succesvol gehandhaafd gebleven in liberale en democratische natiestaten. Vaak zijn minderheden in feite erg goed in het bekrachtigen en reproduceren van een gemeenschappelijke cultuur, met name omdat zij onder druk staan van de nationale meerderheid. Zowel sociaal als psychologisch organiseren zij zich in het verzet, maken hun families, buurten, kerken en verenigingen tot een soort 'eigen land', en doen veel moeite om de grenzen ervan te verdedigen. Natuurlijk drijven individuen af, doen zich voor als leden van de meerderheid, assimileren zich langzaam aan de levensstijlen van de meerderheid, sluiten gemengde huwelijken en voeden kinderen op die geen herinnering hebben aan of kennis van de minderheidscultuur. Maar voor de meeste mensen zijn deze persoonlijke transformaties te moeilijk, te pijnlijk of te vernederend. Zij klampen zich vast aan hun eigen identiteit en aan mannen en vrouwen die op dezelfde wijze worden geïdentificeerd.

De groepen die waarschijnlijk een groot risico lopen, zijn de nationale minderheden (eerder dan de religieuze minderheden). Indien deze groepen een territoriale basis hebben – bijvoorbeeld de Hongaren in Roemenië – zullen zij ervan worden verdacht hoop te koesteren op een eigen staat of op de incorporatie in een buurstaat, waar hun etnische verwanten over soevereine macht beschikken. Het arbitraire proces van staatsvorming brengt geregeld minderheden voort die als zodanig kunnen worden gekenschetst, groepen die onderhevig zijn aan deze verdenkingen en zeer moeilijk te tolereren zijn. Misschien is het het beste om de grenzen te openen en hen te laten gaan of hun volledige autonomie toe te kennen.[9] Wij tolereren de ander door onze staat zo te organiseren dat zij kunnen leven in een maatschappelijke ruimte die gevormd is naar hun behoeften. Alternatieve oplossingen zijn natuurlijk waarschijnlijker: linguïstische erkenning en een zeer beperkte mate van administratieve delegering zijn vrij gebruikelijk, hoewel deze geregeld worden gecombineerd met pogingen om leden van de meerderheid te vestigen in politiek gevoelige grensgebieden en met periodieke assimilatiecampagnes.

Na de Eerste Wereldoorlog werd een poging ondernomen om de tolerantie te garanderen van nationale minderheden in de nieuwe (en volslagen heterogene) 'natiestaten' van Oost-Europa. De Volkerenbond was de instantie die de garantie gaf; de garantie was vastgelegd in een aantal minderheids- of nationaliteitenverdragen. Geheel naar het voorbeeld van natiestaten schreven deze verdragen rechten toe aan stereotiepe individuen in plaats van aan groepen. Het Poolse minderheidsverdrag spreekt bijvoorbeeld over 'Poolse onderdanen die behoren tot raciale, religieuze of linguïstische minderheden'. Uit een dergelijke beschrijving volgt niets over de autonomie van de groep, regionale delegering of minderheidscontrole op scholen. De garantie voor de rechten van het individu was dan ook een hersenschim. De meeste nieuwe staten bevestigden hun soevereiniteit door het negeren (of nietig verklaren) van de verdragen en de bond was niet bij machte hun de verdragen op te leggen.

Maar deze mislukte poging is de moeite waard om te herhalen, misschien met een explicietere erkenning van de overeenkomsten die het stereotiepe minderheidslid gemeen heeft met zijn of haar medeleden. Het verdrag over burger- en politieke rechten van de Verenigde Naties (1966) neemt deze stap: leden van een minderheid 'zal niet het recht worden ontkend, in gemeenschap samen met andere leden van hun groep, hun eigen cultuur tot uitdrukking te brengen, hun eigen religie te hebben en uit te oefenen, of hun eigen taal te gebruiken'.[10] Merk op dat deze bewoording nog steeds voldoet aan de norm van de natiestaat: de groep wordt niet erkend als een groep met een eigen identiteit; individuen handelen 'in gemeenschap met'; alleen de nationale meerderheid treedt op als een gemeenschap.

Ten tijde van oorlog zal de loyaliteit van de nationale minderheden aan de natiestaat – het doet niet terzake of de minderheden een territoriale basis hebben of internationaal worden erkend – snel in twijfel worden getrokken; zelfs tegen al het beschikbare bewijs in, zoals blijkt uit het geval van Duitse vluchtelingen in Frankrijk tijdens de eerste maanden van de Tweede Wereldoorlog. Wederom verdwijnt tolerantie als de anderen gevaarlijk overkomen of als nationalistische demagogen erin slagen hen gevaarlijk te laten overkomen. Het lot van de Japanse Amerikanen een paar jaar later toont dit ook duidelijk aan; hun Amerikaanse landgenoten imiteerden als het ware de positie van de conventionele natiestaat. In feite vormden de Japanners niet, en nog steeds niet, een nationale minderheid in de Verenigde Staten, ten minste niet in de gebruikelijke betekenis. Waar is anders die meerderheidsnatie? Amerikaanse meerderheden zijn tijdelijk van karakter en worden op verschillende wijze geconstitueerd voor verschillende doelen en gelegenheden. (Minderheden zijn ook vaak tijdelijk, hoewel ras en slavernij samen een uitzondering vormen; ik zal later nog uitweiden over deze uitzondering.) Hiertegenover staat dat het een cruciaal kenmerk van de natiestaat is dat zijn meerderheid permanent is. Tolerantie in natiestaten heeft slechts één enkele bron en beweegt of beweegt zich niet slechts in een richting. Het voorbeeld van de Verenigde Staten geeft een volstrekt andere verzameling van regelingen aan.

Immigratielanden

Het vijfde model van coëxistentie en mogelijke tolerantie is het immigratieland.[11] In dit geval hebben de leden van de verschillende groepen hun territoriale basis, hun vaderland, verlaten; alleen of met hun familie zijn zij aangekomen in een nieuw land en zij zijn overal in dat nieuwe land gaan wonen. Hoewel zij in golven aankomen, gedwongen door gelijksoortige politieke en economische redenen, komen zij niet in georganiseerde groepen aan. Het zijn geen kolonisten die bewust plannen om hun eigen cultuur over te plaatsen naar een nieuwe plek. Voor onderlinge steun blijven zij slechts in relatief kleine aantallen bij elkaar, zij gaan altijd om met andere gelijksoortige groepen in de steden en op het platteland. Vandaar dat er geen territoriale autonomie mogelijk is. (Hoewel Canada een immigratieland is, vormt Québec daar een duidelijke uitzondering; de eerste groepen kwamen als kolonisten, niet als immigranten, en werden daarna veroverd door de Britten. Een andere uitzondering moet worden gemaakt voor de autochtone bevolkingsgroepen die ook werden verslagen. Ik zal hier me hier voornamelijk richten op de immigranten. Voor de Québecois en de autochtone groepen zie de paragraaf 'Canada' in hoofdstuk 3; voor de Amerikaanse zwarte bevolking, geïmporteerd als slaven, zie de paragraaf 'Klasse' in hoofdstuk 4.)

Indien etnische en religieuze groepen zich willen handhaven, moeten zij dat in dit geval doen als puur vrijwillige samenwerkingsverbanden. Dit betekent dat zij meer risico lopen op de onverschilligheid van hun eigen leden dan op de intolerantie van anderen. Heeft de staat zich eenmaal losgewrikt uit de greep van de eerste immigranten – overal geldt dat deze ervan uitgingen een eigen natiestaat te creëren – dan is de staat aan geen enkele groep iets verschuldigd. De staat handhaaft de taal van de eerste immigranten en, tot op zekere hoogte, ook de politieke cultuur ervan. Wat de relatieve voordelen betreft, staat de staat echter in deze fase (en in principe) neutraal tegenover allen, is hij tolerant ten opzichte van alle groepen en autonoom in zijn doelstellingen.

De staat claimt exclusieve rechten op de rechtspraak, beschouwt al zijn burgers als individuen en niet zozeer als leden van een groep. Strikt genomen zijn daarom de objecten van tolerantie individuele keuzen en expressies: daden van loyaliteit, participatie in rituelen van lidmaatschap en religieuze uitingen, uitingen van cultureel anders-zijn, enzovoort. Individuele mannen en vrouwen worden aangemoedigd om elkaar als individu te tolereren, om het anders-zijn bij alle anderen te

beschouwen als een persoonlijke (in plaats van een stereotiepe) versie van de cultuur van een groep; dit betekent eveneens
dat de leden van iedere groep, indien zij blijk willen geven van
de deugd tolerantie, elkaars verschillende versies moeten accepteren. Er zullen dan snel vele versies zijn van iedere
groepscultuur en vele verschillende soorten verplichtingen tegenover elkaar. Op deze wijze krijgt tolerantie een volslagen
gedecentraliseerde vorm: iedereen moet alle anderen tolereren.

Geen enkele groep wordt in een immigratieland toegestaan
zich zodanig te organiseren dat zij controle kan krijgen over
openbare ruimtes of openbare fondsen kan monopoliseren.
Iedere vorm van corporatisme wordt verboden. In principe
onderwijzen openbare scholen de geschiedenis en 'maatschappijleer' van de staat, die niet wordt opgevat als een nationale maar als een politieke identiteit. Dit principe is uiteraard slechts langzaam en onvolmaakt doorgevoerd. Sinds de
oprichting van openbare scholen in de Verenigde Staten hebben deze voornamelijk onderwezen wat Anglo-Amerikanen
beschouwen als hun eigen geschiedenis en cultuur; deze gaat
terug tot Griekenland en Rome, en omvat de klassieke talen
en literatuur. Er was, en er is nog steeds, een vrij grote recht-
vaardiging te vinden voor dit basiscurriculum, zelfs na de immigratiegolven halverwege de negentiende eeuw (toen Duit-
sers en Ieren kwamen) en rond de eeuwwisseling (toen Zuid-
en Oost-Europese volkeren aankwamen), want de Amerikaanse politieke instituten worden het best begrepen tegen
deze achtergrond. In recentere tijden (en tijdens een derde
grote immigratiegolf, deze keer voornamelijk niet-Europees)
zijn pogingen ondernomen om de geschiedenis en cultuur van
alle verschillende groepen te incorporeren. Men wilde op
deze wijze zorgen voor een gelijkwaardige 'berichtgeving' en

dus voor de oprichting van 'multiculturele' scholen. In werkelijkheid domineert het Westen nog bijna overal het curriculum.

Op dezelfde wijze werd verondersteld dat de staat volkomen onverschillig staat ten opzichte van de groepscultuur en evenveel steun verleent aan alle groepen; door het aanmoedigen van een soort algemene religiositeit bijvoorbeeld, zoals blijkt uit advertenties in de trein en de bus in de jaren vijftig, die de Amerikanen aanspoorden 'de kerk van uw keuze te bezoeken'. Dit maxime geeft aan dat neutraliteit altijd een kwestie van gradering is. Sommige groepen worden in feite begunstigd boven andere; in dit geval groepen met 'kerken', meer of minder als die van de eerste protestantse immigranten; maar de andere groepen worden wel nog steeds getolereerd. Evenmin wordt kerkbezoek of een andere specifieke culturele praktijk veranderd in een voorwaarde voor het burgerschap. Het is dan relatief gemakkelijk, en absoluut niet vernederend, om te ontsnappen aan de eigen groep en de heersende politieke identiteit aan te nemen (in dit geval 'Amerikaans').

Veel mensen in een immigratieland prefereren echter een dubbele identiteit, een identiteit tussen aanhalingstekens, die wordt bepaald door culturele of politieke scheidingslijnen. Het koppelteken in Italiaans-Amerikaans symboliseert als het ware de acceptatie van het 'Italiaans-zijn' door andere Amerikanen, de erkenning dat 'Amerikaans' een politieke identiteit is zonder grote of specifiek culturele claims. De consequentie natuurlijk is dat 'Italiaans' een culturele identiteit is zonder politieke claims. Dit is de enige vorm waarin het Italiaans-zijn wordt getolereerd. Italiaanse-Amerikanen dienen hun eigen cultuur dan ook te handhaven in de particuliere sfeer, als zij dat kunnen of zo lang als zij dat kunnen, door de vrijwillige inspanningen en bijdragen van toegewijde mannen en

vrouwen. In principe geldt dit voor iedere culturele en religieuze groep, niet alleen voor minderheden (opnieuw echter: er
is geen permanente meerderheid).

Of groepen zich kunnen handhaven onder deze omstandigheden – geen autonomie, geen toegang tot staatsmacht of officiële erkenning, zonder een territoriale basis of de constante oppositie van een permanente meerderheid – is een vraag die nog
steeds moet worden beantwoord. Religieuze gemeenschappen, zowel sektarische als 'kerkelijke', is het tot nu toe niet
slecht vergaan in de Verenigde Staten. Een reden voor hun relatieve succes kan echter de vrij grote intolerantie zijn, waar
vele van hen in werkelijkheid mee te maken hebben gekregen;
intolerantie heeft vaak, zoals ik al eerder heb aangegeven,
'groepsondersteunende' effecten. Etnische groepen is het minder goed vergaan, hoewel observatoren die hen het liefst zouden wegschrijven, vrijwel zeker voorbarig zijn. Deze groepen
overleven met een dubbele identiteit (zo zou men erover kunnen denken): de cultuur van de groep is bijvoorbeeld Ameri-
kaans-Italiaans, wat betekent dat de groepscultuur een sterk
veramerikaniseerde vorm heeft aangenomen en is veranderd
in iets dat bepaald anders is dan de Italiaanse cultuur in het vaderland; de politiek is Italiaans-Amerikaans, een etnische aanname van lokale politieke gebruiken en stijlen. Beschouw de
mate waarin John Kennedy altijd een 'Ierse' politicus is gebleven, Walter Mondale is nog steeds een 'Noorse' sociaal-demo-
craat, Mario Cuomo is nog altijd een 'Italiaanse' christen-de-
mocraat en Jesse Jackson een Afro-Amerikaanse baptistendo-
minee; al deze voorbeelden vertonen op vele wijzen overeenkomsten met elkaar, maar op dezelfde wijze wijken zij af van
het standaardtype Anglo-Amerikaans.

Het is onduidelijk of deze verschillen er nog zullen zijn in de
volgende generatie of daarna. Een klinkklaar voortbestaan is

misschien onwaarschijnlijk. Maar dat wil niet zeggen dat de opvolgers van deze vier voorbeeldfiguren, en van vele andere zoals hen, allen exact op elkaar zullen lijken. De karakteristieke vormen van anders-zijn in immigratielanden komen nog steeds naar boven drijven. Wij weten niet hoe anders 'anders-zijn' in werkelijkheid zal zijn. De tolerantie van individuele keuzen en persoonlijke versies van cultuur en religie constitueren het maximale (of het meest intense) regime van tolerantie. Maar het is volstrekt onduidelijk of het langetermijneffect van deze maximalisatie het groepsleven zal cultiveren of zal doen verdwijnen.

De vrees dat op korte termijn de enige objecten van tolerantie excentrieke individuen zullen zijn, brengt sommige groepen ertoe (oftewel hun meest toegewijde leden) om positieve steun bij de staat te zoeken, bijvoorbeeld door subsidies en giften (evenredig met de publieke bijdrage) voor hun scholen en eigen hulporganisaties te vragen. Gegeven de logica van multiculturalisme moet deze staatsondersteuning onder dezelfde voorwaarden worden gegeven, als het al wordt gegeven, aan iedere maatschappelijke groep. In de praktijk beginnen sommige groepen echter met meer hulpbronnen dan andere en zij zijn daarom veel beter in staat om de mogelijkheden te benutten die de staat aanbiedt. Dit betekent dat de samenleving onevenwichtig is georganiseerd, met sterke en zwakke groepen die met zeer verschillende successen hun leden helpen en weten te behouden. Heeft de staat zich tot doel gesteld de groepen gelijk te stellen, dan moet hij een behoorlijke herverdeling van hulpbronnen doorvoeren en een behoorlijk hoeveelheid openbare fondsen reserveren. In potentie is tolerantie minstens oneindig in haar bereik, maar de staat kan het groepsleven alleen ondersteunen binnen een of andere verzameling politieke en financiële beperkingen.

Samenvatting

Het is praktisch om hier de successieve objecten van tolerantie in de vijf regimes op te sommen (ik heb niet de bedoeling
te suggereren dat zij een ontwikkeling aangeven; noch is de
volgorde waarin ik ze heb beschreven een chronologisch juiste). In het multinationale rijk en de internationale gemeenschap is het de groep die wordt getolereerd, ervan afgezien of
haar status die van een autonome gemeenschap of een soevereine staat is. Hun wetten, religieuze gewoonten, wettelijke
procedures, fiscale politiek en verdeling van openbare fondsen, onderwijsprogramma's en familieregelingen, worden alle
beschouwd als legitiem of geoorloofd, onderhevig alleen aan
minimale en zelden strikt toegepaste (of toe te passen) beperkingen. Dit geldt ook voor de consociatie, maar daar wordt
een nieuw kenmerk toegevoegd: een gemeenschappelijk burgerschap dat effectiever is dan in de meeste rijken, een kenmerk dat de staat minimaal de mogelijkheid geeft om te interveniëren in groepspraktijken ten gunste van individuele rechten. In democratische consociaties (zoals Zwitserland) is deze
mogelijkheid ten volle gerealiseerd, maar rechten zullen niet
doeltreffend worden afgedwongen in de vele andere gevallen
waar de democratie zwak is, waar de centrale staat louter bestaat door de verdraagzaamheid van de groepen in de consociatie en er voornamelijk op gericht is hen bij elkaar te houden.

Het burgerschap in een natiestaat heeft meer betekenis. Nu
zijn de objecten van tolerantie individuen die beschouwd
worden als burgers en als leden van een bepaalde minderheid.
Zij worden zogezegd getolereerd onder hun generieke
namen. Maar lidmaatschap van de 'soort' (in tegenstelling tot
burgerschap in de staat) wordt van deze individuen niet ver-

eist; hun groepen oefenen geen dwingende autoriteit over hen uit en de staat zal agressief ingrijpen om hen te beschermen tegen iedere poging hen ergens toe te dwingen. Vandaar dat nieuwe opties beschikbaar komen: een losse band met de groep, geen band met geen enkele groep, assimilatie met de meerderheid. In immigratielanden nemen deze opties toe. Individuen worden specifiek getolereerd als individuen onder hun eigen naam en hun keuzes worden beschouwd in persoonlijke in plaats van stereotiepe termen. Zo ontstaan er dan persoonlijke versies van het groepsleven, vele verschillende wijzen om dit of dat te zijn, iets dat andere leden van de groep hebben te tolereren, alleen al omdat zij als groep worden getolereerd door de maatschappij. Fundamentalistische orthodoxie onderscheidt zich door de weigering deze algemene tolerantie te accepteren als een reden voor een verdraagzamere visie op de eigen religieuze cultuur. Soms bieden zijn protagonisten tegenstand tegen het gehele regime van tolerantie in het immigratieland.

Hoofdstuk 3

Gecompliceerde gevallen

Ieder geval is uniek, zoals iedereen wiens geval het is zeer goed weet. Nu wil ik echter drie landen nader bekijken, waarvoor in het bijzonder geldt dat zij niet passen in de categorieën van hoofdstuk 2. Alle drie kenmerken zich door regimes die maatschappelijke of structurele verschillen in zich dragen, regimes die twee- of drievoudig zijn verdeeld en daarom de gelijktijdige uitoefening van verschillende soorten tolerantie vereisen. Zij reflecteren de alledaagse complexiteit van het 'echte leven', waaruit mijn categorieën noodzakelijkerwijse zijn geabstraheerd. Ik zal daarna nog kort aandacht besteden aan de Europese Unie, die alles bij elkaar genomen niet zo zeer nieuw is door de vermenging van regimes, maar door hun incorporatie in een zich nog steeds ontwikkelende 'grondwettelijke' structuur.

Frankrijk

Frankrijk is een bijzonder nuttig studieobject, aangezien het een klassieke natiestaat is en tegelijkertijd Europa's leidende immigratieland; het is zelfs een van de leidende immigratielanden in de wereld. De omvang van de immigratie is verborgen gebleven door het uitzonderlijke assimilatievermogen van de Franse natie. Hierdoor stelt men Frankrijk voor als een homogene maatschappij met een zeer kenmerkende en eenduidige cultuur. Tot voor kort hebben de grote aantallen immigranten uit het oosten en zuiden (Polen, Russen, joden, Italianen en Noord-Afrikanen) zich nooit opgeworpen als georganiseerde nationale minderheden. Zij hebben allerlei gemeenschappelijke organisaties opgezet – uitgeverijen, kranten in een buitenlandse taal, enzovoort – maar (behalve kleine groepen politieke vluchtelingen die niet van plan waren te blijven) zij kwamen slechts bijeen om elkaar te versterken en te ondersteunen binnen de context van een onder hoge druk staande, snelle assimilatie in de Franse politiek en cultuur. Veel meer dan elk ander Europees land is Frankrijk een maatschappij van immigranten geweest.[1] En toch is het geen immigratieland; althans zo ziet Frankrijk zichzelf niet en het wordt ook niet gezien als een pluralistische samenleving.

De meest waarschijnlijke verklaring voor deze anomalie – de fysieke aanwezigheid en conceptuele afwezigheid van cultureel anders-zijn – ligt in de moderne Franse geschiedenis, en dan vooral in de revolutionaire constructie van een republikeinse natiestaat. Het nationalisme dat ontstond in de loop van een politieke strijd tegen de kerk en het ancien régime, bezat een politiek en populistisch karakter; het verhief het volk tot een lichaam van burgers dat was toegewijd aan een zaak. Hoewel deze zaak zowel Frans als republikeins was, was dit niet een Frans-zijn dat religieus, etnisch of historisch kon worden gedefinieerd. In de nieuwe betekenis van het woord werd iemand Frans door een republikein te worden. Op het hoogtepunt van de revolutie werden buitenlanders met open armen ontvangen, zoals dat sindsdien minstens periodiek steeds weer is gebeurd, als men op zijn minst de Franse taal leerde, zich uitsprak voor de republiek, de kinderen naar openbare scholen stuurde en de veertiende juli vierde.[2] Wat immigranten niet verondersteld werden te doen, was een

etnische gemeenschap opzetten naast (en in potentie in conflict met) de gemeenschap van burgers. De Franse vijandigheid tegen krachtige secundaire associaties, die de burgers
van elkaar onderscheiden en verdelen, wordt geanticipeerd in
Rousseau's politieke theorie en wordt voor het eerst met absolute helderheid verwoord in het grondwetdebat van de As-
semblée (1791) over de emancipatie van de joden. Clermont-
Tonnerre, een afgevaardigde van het centrum, verwoordde de
mening van de meerderheid (die emancipatie ondersteunde)
toen hij verklaarde: 'Men moet alles weigeren aan de joden
als een natie en alles geven aan de joden als individuen.'[3] In
1944 schreef Jean-Paul Sartre dat dit nog steeds de positie
van de typische Franse 'democraat' was. 'Zijn verdediging
van de joden redt de laatste als een mens en vernietigt hem als
een jood [...] laat niets in hem achter [...] behalve het abstrac-
te subject van de rechten van de mens en de rechten van de
burger.'[4] Individuen kunnen worden genaturaliseerd en geas-
simileerd; Frans-zijn was in deze betekenis een veelomvatten-
de identiteit. Maar Frankrijk kon als republikeinse natiestaat
niet 'een natie in de natie' tolereren, zoals Clermont-Tonnerre
duidelijk aangaf.

De revolutie vestigde op deze wijze de Franse houding ten opzichte van alle immigrantengroepen. Dit kwam overeen met
de eerdere ontkenning dat de inwoners van Normandië, Bre-
tagne en Occitanië een authentieke nationale minderheid
vormden. Men moet toegegeven dat Franse republikeinen in
de loop der jaren opmerkelijk succesvol zijn geweest om het
eenheidsideaal van de Revolutie te handhaven. Ongetwijfeld
assimileerden de immigranten meer of minder vrijwillig en
waren zij blij dat zij zich Franse burgers konden noemen.
Hun doel was slechts te worden getolereerd als individuen;
mannen en vrouwen die een synagoge bezochten, thuis Pools

spraken of bij vrienden Russische poëzie lazen. Zij hadden, of gaven in ieder geval toe, geen openlijke ambities te koesteren als leden van een aparte minderheid.

Dit was de situatie tot de ineenstorting van het overzeese rijk en de aankomst in Frankrijk van grote groepen Noord-Afrikaanse joden en nog grotere groepen islamitische Arabieren. Deze groepen, deels door hun omvang en deels door een veranderd ideologisch klimaat, begonnen het republikeinse ideaal op de proef te stellen en daarna te betwisten. Zij hadden hun eigen cultuur die zij wilden bewaren en reproduceren; zij waren minder dan hun voorgangers bereid om hun kinderen naar openbare scholen te sturen, die gewijd waren aan 'verfransing' (anders dan 'veramerikanisering' wordt dit woord niet daadwerkelijk gebruikt, zo onbewust is het proces geweest).[5] Zij willen worden erkend als groep, dat hun wordt toegestaan de groepsidentiteit te laten zien in het openbare leven. Zij willen Franse burgers zijn terwijl zij, als het ware, naast de Fransen leven; velen van hen zijn ook openlijk intolerant tegenover andere joden of Arabieren die voor zichzelf en hun kinderen de assimilatie oude-stijl ten doel stellen.

Het directe gevolg is een ongemakkelijke impasse tussen republikeinse voorstanders van assimilatie (vertegenwoordigd door de regering, linkse en rechtse politieke partijen, de lerarenvakbonden, enzovoort) en de nieuwe immigrantengroepen (vertegenwoordigd door gekozen of zelfopgeworpen leiders en militanten). De republikeinen proberen een universele en uniforme gemeenschap van burgers te handhaven en staan tolerant tegenover religieuze en etnische diversiteit, zolang deze wordt geuit in privé- en familiesituaties, geheel volgens de klassieke norm van de natiestaat. De nieuwe immigranten, of velen van hen, streven naar een of andere versie van multiculturalisme, hoewel zij voor het grootse deel nog niet gereed zijn voor de Amerikaanse versie, waar iedere cultuur op zich anders geconstitueerd en intern verdeeld is. Misschien zijn zij in werkelijkheid op zoek naar zoiets als het *milletler*-systeem: het overzeese rijk opnieuw gevestigd, maar dan thuis.

Israël

Israël is een nog gecompliceerder geval dan Frankrijk, want het incorporeert drie van de vier binnenlandse regimes; het vierde werd bovendien ooit een keer voorgesteld. In de jaren dertig en veertig pleitte een factie van de zionistische beweging voor een Arabisch-joodse consociatie, een binationale staat. Dit plan bleek in de praktijk onmogelijk door het voornaamste twistpunt tussen joden en Arabieren, de immigratiepolitiek. Het was niet een kwestie van hoe een regime van tolerantie te organiseren (binnen welke structuren kunnen joden en Arabieren elkaar het gemakkelijkst tolereren?), maar wie de participanten zouden zijn in het regime (hoeveel joden en Arabieren zouden er moeten komen?). Wat betreft deze laatste vraag konden de twee groepen niet tot één antwoord komen. De immigratiekwestie was met name in de jaren dertig en veertig van belang voor de joden en vormde de belangrijkste beweegreden voor de stichting van een onafhankelijke joodse staat.

Die staat is uiteraard geen federatieve staat. Desalniettemin is hij in grote mate verdeeld en wel op drie verschillende manieren. Ten eerste is het huidige Israël een natiestaat die werd gevestigd door een klassieke negentiende-eeuwse nationalistische beweging, een natiestaat waarin een substantiële 'nationale minderheid', de Palestijnse Arabieren, is opgenomen. Leden van de minderheid zijn staatsburgers, maar hun geschiedenis en cultuur wordt echter niet weerspiegeld in het openbare leven. Ten tweede is Israël een van de staten die voortkomen uit het Ottomaanse rijk (de nalatenschap hiervan werd geregeld door het Britse rijk) en zij heeft het *milletler*-systeem gehandhaafd voor haar diverse religieuze gemeenschappen (joods, islamitisch en christelijk). Israël staat deze gemeenschappen eigen rechtbanken toe (voor het familierecht) en voorziet deels in andere onderwijsprogramma's. Ten derde is Israëls joodse meerderheid een samenleving van immigranten die uit alle landen van de diaspora komen; een verzameling van mannen en vrouwen die, ondanks hun gedeelde joods-zijn (dat op zich soms ook ter discussie staat), in feite een zeer verschillende geschiedenis en cultuur hebben. Soms zijn de verschillen etnisch, soms religieus. Zij zorgen voor een gesegmenteerde meerderheid die alleen een eenheid wordt als zij wordt geconfronteerd met een militante minderheid, en niet alleen dan. Zionisme is een sterke nationaliserende kracht, maar bezit niet het assimilatievermogen van het Franse republicanisme.

Elk van deze korte beschrijvingen is als het ware typerend voor het type; elk regime – natiestaat, multinationaal rijk en immigratieland – maakt dezelfde globale indruk als het afzonderlijk zou bestaan. Maar in de praktijk oefenen de drie op complexe wijze druk op elkaar uit en zorgen voor spanningen en conflicten die niet inherent zijn aan de een van de drie afzonderlijk.[6] Het *milletler*-systeem sluit individuen bijvoorbeeld op in hun religieuze gemeenschappen, maar dat zijn niet de natuurlijke of afgescheiden gemeenschappen van staatsburgers; met name niet die van joodse immigranten uit West-Europa, de twee Amerika's en de voormalige Sovjet-Unie, van wie velen volledig geseculariseerd zijn of op hun eigen manier religieus. Zij ervaren de rabbijnse rechtbanken als intolerant en onderdrukkend, relikwieën van een of ander verleden dat zij nooit hebben gekend.

Op ongeveer dezelfde wijze ervaart de Arabische minderheid de joodse immigranten als een belediging en een bedreiging; niet alleen omdat deze hun status als minderheid vergroten, maar ook omdat zij de dominante partij vormen in de politieke strijd voor erkenning en gelijke behandeling. In tegenstelling tot de Arabieren verwachten deze immigranten dat hun geschiedenis en cultuur wordt weerspiegeld in het openbare leven van de joodse staat, maar velen zijn hierin teleurgesteld. Gezien hun eigen diversiteit worden zij eigenlijk gedwongen een versie te eisen van staatsneutraliteit of multiculturalisme die kenmerkend is voor immigratielanden en dat was niet wat de zionistische voorvaders in gedachten hadden. Maar hoewel deze regelingen in principe ook rekening houden met de Arabieren, doen zij dat in de praktijk vaak niet; of zij houden slechts rekening met hen in een formele zin, zodat Arabische scholen bijvoorbeeld niet hun rechtmatige deel ontvangen uit de staatsfondsen.[7] De poging om wederzijdse tolerantie te bewerkstelligen tussen de (joodse) immigranten onderling krijgt prioriteit boven de poging om de joodse staat in zijn geheel tolerant te maken ten opzichte van zijn Arabische minderheid. Natuurlijk wordt deze prioriteit versterkt door het internationale conflict tussen Israël en haar Arabische buren, maar tevens weerspiegelt dit ook de moeilijke coëxistentie van de verschillende regimes.

Tolerantie wordt onder deze omstandigheden moeilijker door de onduidelijkheid over haar correcte object: individuen of gemeenschappen? En indien de laatste, moeten deze gemeenschappen religieus, nationaal of etnisch zijn? Waarschijnlijk moet het antwoord alomvattend zijn: alle drie. Zou het internationale conflict worden opgelost, dan kan tolerantie in deze drievoudig verdeelde maatschappij misschien makkelijker verwezenlijken te zijn dan in veel gevallen met een enkele verdeling; omdat, als het ware, zij zich zou uitstrekken in verschillende richtingen en tot stand zou worden gebracht door verschillende institutionele structuren. Maar deze totstandkoming veronderstelt een geleidelijke herziening van de structuren, een aanpassing van de ene aan de andere. Wat zou dit proces vereisen? Misschien een vermeerdering van de religieuze rechtbanken om zo de feitelijke verdelingen in de drie gemeenschappen te weerspiegelen. Misschien een bepaalde vorm van plaatselijke autonomie voor Arabische steden en dorpen. Misschien een eenduidig 'maatschappijleer'-curriculum, waarin de waarden democratie, pluralisme en tolerantie worden onderwezen en dat wordt opgelegd aan alle typen staatsscholen (Arabisch, joods, seculier en religieus). De eerste suggestie zou het *milletler*-systeem aanpassen aan het immigratieland; de tweede zou de natiestaat modificeren in overeenstemming met de belangen van zijn nationale minderheid; de derde zou de claims bevestigen van de natiestaat in de stijl van een immigratieland, dat wil zeggen in politieke en morele termen in plaat van nationale, religieuze en etnische termen. Maar het is even gemakkelijk om zich voor te stellen dat Israël steeds weer zal worden geconfronteerd met terugkerende crises in elk van haar regimes; net als langs de 'demarcaties' waar zij met elkaar in wisselwerking staan.

Canada

Canada is een immigratieland met verschillende nationale minderheden – de oorspronkelijke bevolkingsgroepen en de Fransen – die tevens veroverde naties zijn. Deze minderheden zij niet op dezelfde wijze over het land verspreid als de immigranten en bezitten een volstrekt andere geschiedenis. Individuele aankomst komt niet voor in hun collectieve geheugen; zij vertellen daarentegen een verhaal over een langdurig gemeenschapsleven. Zij streven ernaar dat leven in stand te houden en zij vrezen dat niet te kunnen in de los georganiseerde, uiterst mobiele, individualistische maatschappij van de immigranten. Zelfs een krachtige multiculturele politiek zal waarschijnlijk dit soort minderheden niet kunnen helpen, want een dergelijke politiek moedigt slechts een import-identiteit aan. Dat wil zeggen gefragmenteerde identiteiten; ieder individu moet zelf beslissen op welk deel van zijn dubbele identiteit hij de nadruk legt om zo een of andere eenheid voor zichzelf te reconstrueren. Wat deze minderheden daarentegen willen, is een identiteit waarover collectief wordt beslist. En daar hebben zij een collectieve vertegenwoordiger met voldoende politiek gezag voor nodig.

Voor de Québecois is een leven met het Frans als spreektaal het belangrijkst; zij willen de taal bewaren die hun belangrijkste onderscheidende kenmerk is. Hun dagelijkse leven is niet op significante wijze anders dan dat van de andere Canadezen. De autochtone naties bezitten nog steeds hun eigen kenmerkende culturen – die zich uitstrekken over het volledige scala van sociale activiteiten – en hun eigen talen. Beide groepen hebben waarschijnlijk een bepaalde mate van autonomie nodig in Canada (of onafhankelijkheid van Canada) als zij zich willen handhaven in hun huidige vorm. Vereist tolerantie dat hun wordt toegestaan dat te doen, of om te proberen dat te doen, door gebruik te maken van politieke macht en van afdwingende krachten die een dergelijk project zou vereisen? Waarom zou van hen niet worden gevraagd zich aan te passen aan het model van een immigratieland?

Maar noch de autochtone bevolkingsgroepen noch de Québecois zijn immigranten. Zij hebben nooit de culturele risico's en verliezen geaccepteerd die immigratie met zich meebrengt. De Fransen kwamen als kolonisten; de autochtone bevolkingsgroepen zijn, zoals hun naam aangeeft, oorspronkelijke volkeren, dat wil zeggen kolonisten uit een eerder tijdperk. Zowel de autochtone bevolkingsgroepen als de Fransen werden verslagen in oorlogen die wij waarschijnlijk als onrechtvaardig zouden beschouwen (hoewel de Frans-Britse oorlogen onrechtvaardig kunnen zijn geweest van beide kanten, want hun inzet was de dominantie over de 'Indianen'). Gezien deze geschiedenis lijkt een soort autonomie volledig gerechtvaardigd. Dit is echter niet gemakkelijk te verwezenlijken, omdat het een constitutionele regeling zou vereisen die verschillende volkeren verschillend behandelt en verschillende regimes vestigt in verschillende delen van hetzelfde land; in een land dat zich in zijn grondwet verplicht heeft tot het liberale gelijkheidsprincipe.

De weigering van de Canadezen (tot nu toe) om Québec een constitutioneel gewaarborgde 'speciale status' te verlenen – de belangrijkste reden voor de afscheidingspolitiek in de provincie – komt voort uit deze verplichting. Waarom zou deze provincie anders worden behandeld dan alle andere? Waarom zou haar regering een macht worden toegekend, die aan de andere wordt ontzegd? Ik heb reeds een historisch antwoord gesuggereerd voor deze vragen, een antwoord dat wordt bevestigd door de capitulatievoorwaarden voor de Fransen in 1760 en door de *Québec Act* van 1776, waardoor Québec werd opgenomen in het Britse rijk. De incorporatie volgde het gebruikelijke patroon van het imperiale multinationalisme: het 'garandeerde dat de rooms-katholieke religie, de Franse taal, het adellijke eigendomssysteem, de traditionele regels en de regeringsvormen uit de Franse periode zouden blijven bestaan totdat een wetgevende macht was geïnstalleerd. De wetgevers van Québec konden deze oude vormen dan veranderen zoals zij dat geschikt achtten.'[8]

Kan een regeling als deze worden overgebracht naar een liberale staat en immigratieland, waar andere constituerende groepen niet dergelijke 'garanties' hebben? Deze vraag heeft geen vanzelfsprekend antwoord. Maar als tolerantie wordt uitgebreid tot groepen die werkelijk verschillend zijn, een ander geschiedenis en cultuur hebben, vereist zij waarschijnlijk een of andere legale en politieke differentiatie. De verdediging van het 'asymmetrisch federalisme', zo genoemd door Charles Taylor, is niet alleen afhankelijk van de geschiedenis (of de verdragen); zij berust zeer concreet op de feitelijke nog bestaande verschillen en de wens van de bevolkingsgroepen die, om het maar zo te zeggen, deze verschillen cultiveren om hun eigen cultuur te kunnen handhaven en te worden erkend als de concrete vertegenwoordigers ervan.[9] De wens is duidelijk; alleen de middelen staan ter discussie. De Québecois claimen dat zonder voldoende politieke macht om het dagelijkse gebruik van het Frans af te dwingen, zij snel in de situatie zullen belanden – gezien de huidige immigratiecijfers en de druk van de Engelssprekende burgers in Canada – dat zij niet meer in staat te zijn het Frans als openbare taal te handhaven. Zij beweren echter ook dat aan deze claim kan worden tegemoetgekomen binnen liberale maatstaven – dat wil zeggen de tolerantie van niet-Franssprekende burgers (dit was ook gegarandeerd door de Québec Act) – zonder het gehele project in gevaar te brengen. Als dit waar is, lijkt Québec theoretisch niet een problematisch geval, ondanks de praktische problemen die tot nu toe een grondwettelijke regeling hebben verhinderd en deze eventueel nog kunnen verhinderen.

De zaak van de autochtone bevolkingsgroepen is veel moeilijker, want het is totaal niet duidelijk of hun manier van leven binnen liberale maatstaven kan worden gehandhaafd, zelfs onder condities ten gunste van autonomie. Intern intolerante en illiberale groepen (de meeste kerken bijvoorbeeld) kunnen in een liberale maatschappij worden getolereerd in zoverre zij de vorm aannemen van vrijwillige samenwerkingen. Maar kunnen zij worden getolereerd als autonome gemeenschappen met absoluut gezag over hun leden? Deze laatste soort tolerantie was mogelijk in de oude rijken, omdat de leden geen staatsburgers waren (of ten minste geen staatsburgers in de gebruikelijke zin van het woord); vandaar dat de traditionele leiders van de autochtone bevolkingsgroepen zich kunnen baseren op de verdragen die dateren uit het tijdperk van het imperiale rijk. Maar tegenwoordig zijn deze autochtone bevolkingsgroepen Canadese burgers en het gezag van hun gemeenschappen wordt gelimiteerd door de hogere wet van Canada, zoals bijvoorbeeld de 'Charter of Rights and Freedoms' (1981). Grondwettelijke rechten vormen beperkingen voor iedere collectiviteit; hun doel is individuen macht te geven en daarom bedreigen zij noodzakelijkerwijze het collectieve (in dit geval stammen-) leven.

De autochtone cultuur wordt getolereerd als de cultuur van een aparte gemeenschap – of verzameling gemeenschappen – waarvan het voortbestaan een open vraag is, er kunnen immers geen garanties worden gegeven. De gemeenschappen hebben een legale status, erkende instituten, legitieme leiders en voorhanden zijnde hulpbronnen die alle de kans op voortbestaan verbeteren, maar die geen effectieve barrière opleveren tegen individuele vervreemding of ontsnapping. De situatie van de autochtone bevolkingsgroepen is daarom anders dan die van joden, baptisten, Litouwers of alle andere religieuze of immigrantengemeenschappen, want geen van hen heeft een zelfde status. Door hun langdurige onderwerping wordt aan de autochtone bevolkingsgroepen – en zij dienen dat ook te krijgen – een grotere wettelijke en politieke ruimte verleend om hun oeroude cultuur te organiseren en te 'leven'. Maar deze ruimte heeft nog altijd ramen en deuren; zij kan niet worden afgesloten van de maatschappij zolang als de mensen in de ruimte ook burgers zijn. Ieder van hen kan besluiten de ruimte te verlaten om buiten te gaan leven of om er in te blijven en oppositie te voeren tegen de gevestigde leiders en gewoonten, op dezelfde wijze als joden, baptisten en Litouwers dat doen. Autochtone naties worden getolereerd als naties, maar hun leden worden tegelijkertijd getolereerd als individuen die hun nationale manier van leven kunnen veranderen of verwerpen. Deze twee vormen van tolerantie coëxisteren, hoewel de details van de coëxistentie nog steeds moeten worden uitgewerkt en de levensvatbaarheid op lange termijn nog steeds onzeker is.

De Europese Unie

Ik neem de Europese Unie hier als voorbeeld van een verbond van natiestaten, dat een rijk noch een consociatie is, maar dat wel anders is dan deze twee en misschien nieuw in de wereld. Omdat zij nog steeds vorm krijgt, haar constitutionele regelingen nog steeds worden bediscussieerd en onhelder zijn, zal mijn verhaal voor het grootste deel speculatief zijn. Wat voor vorm kan tolerantie aannemen in deze bedachte unie?

De Europese Unie is niet een rijk – ondanks de geuite kritiek op de imperiale eerzucht van de ambtenaren in Brussel – want de lidstaten zullen slechts een deel van hun soevereine macht uit handen geven. Hoe groot dit deel ook moge wezen, de macht die de staten behouden, zal veel verder reiken dan autonomie. Ook is de unie geen consociatie wegens het aantal betrokken staten en, wederom, wegens hun bijna volledige soevereiniteit. Waarom is de unie dan niet simpelweg een alliantie van soevereine staten met enkele beperkte doelstellingen? De lange geschiedenis van alliantiepolitiek laat echter niets zien van de economische samenwerking die de leden beogen. En er is een andere reden waarom dit model niet geschikt is: het 'sociale charter', waarmee de leden hebben ingestemd. Zoals de stand van zaken nu is, zijn de bepalingen van het charter vrij zwak ofschoon ze – naast normen voor minimumlonen en de lengte van de werkweek – 'gelijkheid [decreteren] tussen mannen en vrouwen wat betreft de mogelijkheden op de arbeidsmarkt en behandeling op de werkvloer'.[10] Deze bepalingen verschillen van gelijksoortige in de internationale 'rechten van de mens', zoals die werden afgekondigd door de Verenigde Naties: zij dienen niet slechts te stimuleren, maar dienen te worden doorgevoerd, zelfs als het mechanisme hoe ze door te voeren op dit moment nog onduidelijk is.

In feite bestaat er al een Europese overeenkomst over de mensenrechten, een overeenkomst die sinds de jaren zestig juridisch wordt toegepast en waar het charter van de unie nu aan is toegevoegd. Stel eens voor dat deze twee worden gecombineerd en uitgebreid tot een volledige verzameling van negatieve en positieve rechten. (Ik zal hier niet speculeren over de exacte inhoud van de verzameling.) Er zouden dan – misschien zijn ze er al – in de lidstaten gebruiken worden getolereerd – kenmerken van hun politieke cultuur of ingewortelde maatschappelijk en economische regelingen (zoals ongelijkheid tussen de geslachten) – die niet zouden worden getolereerd binnen de nieuwe unie. Over sommige aspecten, zoals wij zullen zien, eist de Europese Unie dat haar leden zowel toleranter zijn als tolerant op een andere manier dan zij gewend zijn. Maar de overeenkomst, zoals ik me dat heb voorgesteld, zou een serie beperkingen invoeren en aangezien deze beperkingen werden uitgedrukt in de context van de mensenrechten, zouden zij waarschijnlijk domineren over alle andere regels en gewoonten. Deze dominantie zou significante consequenties hebben: zij verschuift de blik van het politieke debat van de wetgevende macht naar rechtbanken en naar semi-juridische, administratief vertegenwoordigende instanties (zoals dit tot een bepaalde hoogte is gebeurd in de Verenigde Staten); het zou de hoeveelheid rechtszaken vermeerderen en, het belangrijkst, het zou de relatieve macht van individuen vergroten vis-à-vis de natiestaten of de etnische en religieuze groepen waartoe zij behoren. Tolereerden de oude rijken verschillende legale culturen, de nieuwe unie lijkt waarschijnlijk een nieuwe, overkoepelende wet te gaan invoeren (na verloop van tijd en ervan uitgaande dat de ontwikkeling zich voortzet).

Tegelijkertijd zal ieder lidstaat echter nog heterogener zijn dan ooit tevoren en dat gebeurt op twee manieren. Ten eerste erkent de gemeenschap regio's binnen de staten als legitieme objecten voor sociale en economische politiek; het is waarschijnlijk dat zij ooit zullen worden erkend als politieke subjecten. Deze erkenning zal bijna zeker de positie verstevigen van territoriaal gebaseerde nationale minderheden, zoals de Schotten en de Basken (hun ambities zijn er reeds door toegenomen). Maar de consequenties op de lange termijn van regionalisme kunnen heel goed worden opgevangen door de tweede oorzaak van de nieuwe heterogeniteit – immigratie – die waarschijnlijk regionale etnische concentraties zal verbreken. 'Burgers' van de gemeenschap steken grenzen al veel vrijer over dan in het verleden. Zij nemen niet alleen hun nieuwe, overal geldende rechten mee, maar ook hun oude cultuur en religie. Meerderheidsnaties zullen snel ontdekken dat zij te stellen krijgen met minderheden aan wie zij niet gewend zijn; gevestigde nationale minderheden zullen worden 'getart' door nieuwe groepen met nieuwe ideeën over de regelingen die tolerantie eist. Hoe meer mensen zullen rondreizen, des te meer zal de unie als geheel gaan lijken op een immigratieland met een groot aantal geografisch verspreide minderheden die geen sterke band hebben met een bepaald gebied.

De lidstaten zullen natuurlijk nog steeds natiestaten zijn; niemand verwacht bijvoorbeeld van de Nederlanders of de Denen dat zij zoveel immigranten zullen opnemen dat zijzelf een minderheid worden in hun eigen land, een groep onder vele andere. Desalniettemin zullen de staten verplicht zijn nieuwkomers te tolereren (die niet allen 'Europeanen' zullen zijn, want iedere immigrant die in een van de lidstaten genaturaliseerd is, kan vrij naar alle andere reizen), voor wie zij niet hebben gekozen om die toe te laten. Zij zullen hun eigen harmonie moeten zien te vinden met deze nieuwkomers en met hun culturele en religieuze gewoonten, hun familieregelingen en politieke waarden, maar wel altijd volgens het 'sociale charter' (dat wel of niet een gemeenschappelijk regime van tolerantie kan opleveren, afhankelijk van de eventuele reikwijdte en handhaving).

Op gelijke wijze zullen de nieuwkomers hun eigen harmonie moeten zien te vinden met de politieke cultuur van hun nieuwe land. Zonder twijfel zullen verschillende groepen verschillende regelingen nastreven; ondanks de druk tot individualisering die in alle immigratielanden voorkomt, zullen sommigen van hen ongetwijfeld corporatistische regelingen nastreven. Maar deze zullen waarschijnlijk niet acceptabel zijn voor de gastlanden, behalve in zeer gemodificeerde versies die aangepast zijn aan het vrijwillige-verenigingspatroon van de desbetreffende natiestaat. Noch zullen de ambtenaren van de gemeenschap in Brussel of de rechters in Straatsburg interveniëren ten gunste van corporatisme; ten hoogste zullen zij achter de individuele rechten staan. Het patroon dat aldus ontstaat, is onduidelijk: individuen zullen zich identificeren met etnische of religieuze groepen en een of andere staatserkenning claimen, maar tevens zullen de groepen onbestendig zijn, omdat ook zij onderhevig zullen zijn aan verandering als de immigranten zich aanpassen aan hun nieuwe omgeving, assimileren, gemengde huwelijken sluiten, enzovoort. De Europese Unie zal waarschijnlijk alle staten de voor- en nadelen geven van het multiculturalisme.

Hoofdstuk 4

Praktische thema's

Macht

In gewone lekentaal wordt vaak gezegd dat tolerantie een relatie van ongelijkheid inhoudt, waarbij de getolereerde groepen of individuen een ondergeschikte positie wordt toegewezen. Iemand tolereren is een machtsdaad; getolereerd worden is acceptatie van eigen zwakte.[1] We zouden ons eigenlijk op iets beters dan deze combinatie moeten richten, iets groters dan tolerantie, bijvoorbeeld wederzijds respect. Maar als we de vijf regimes van tolerantie eenmaal in kaart hebben gebracht, blijkt het verhaal een stuk gecompliceerder: wederzijds respect is een van de attitudes die voor tolerantie vereist zijn, misschien zelfs de aantrekkelijkste attitude, maar niet noodzakelijkerwijs de waarschijnlijkste om tot ontwikkeling te komen of de stabielste op lange termijn. Soms werkt tolerantie inderdaad het best wanneer de verhoudingen van politieke superioriteit en inferioriteit duidelijk aangegeven en algemeen erkend zijn. Dit is onbetwistbaar het geval in de internationale samenleving, waar ambigue machtsrelaties een van de hoofdoorzaken voor oorlog vormen. Dezelfde propositie blijft waarschijnlijk overeind met betrekking tot bepaalde binnenlandse regimes, zoals de federatieve staat of consociatie, waar onzekerheid over de relatieve macht van verschillende groeperingen kan leiden tot politieke onrust en zelfs tot burgeroorlog. Daarentegen werkt deze onzekerheid in immigratielanden een andere kant op: als mensen niet precies weten waar zij staan ten opzichte van anderen, is tolerantie vanzelfsprekend de meest rationele houding. Maar zelfs hier rijzen vaak vragen op over politieke macht, zij het wellicht niet die ene grote vraag wie er heerst over wie. In plaats daarvan dringt een reeks kleinere vragen zich op de voorgrond: Wie is doorgaans sterker? Wie manifesteert zich het duidelijkst in het openbare leven? Wie krijgt het grootste deel van de natuurlijke rijkdommen toegewezen? Deze vragen (inclusief de genoemde grote vraag) zijn nauwelijks te begrijpen zonder te hebben verwezen naar de hiernavolgende discussie over klasse, geslacht, godsdienst, enzovoort; ze kunnen niettemin ook afzonderlijk worden gesteld.

In multinationale rijken rust de macht bij de centrale bureaucratie. Alle ingelijfde groepen worden aangespoord zich even machteloos als de andere te beschouwen; zij zijn niet bij machte hun buren iets af te dwingen of hen te vervolgen. Iedere lokale poging tot dwang leidt tot een beroep op het centrum. Grieken en Turken leefden bijvoorbeeld ten tijde van het Ottomaans gezag vreedzaam naast elkaar. Hadden zij onderling respect voor elkaar? Sommigen waarschijnlijk wel, anderen niet. Maar de aard van hun relatie hing niet af van het onderling wederzijds respect; hij werd bepaald door hun wederzijdse onderwerping. Als de ingelijfde groepen die onderwerping niet op dezelfde manier ervaren, wordt onderlinge verdraagzaamheid een stuk minder aannemelijk. Wanneer één groep een speciale band met het centrum heeft en in staat is een alliantie te vormen met de vertegenwoordigers ervan, dan zal zij meestal proberen de andere groepen te overheersen, zoals de Grieken deden in het Romeinse Alexandrië. Voor het centrale gezag is tolerantie het effectiefst wanneer het ver weg, neutraal en overweldigend is.

Als zodanig kan de macht van het imperium bepaalde lokale minderheden goed uitkomen; deze minderheden zullen ertoe neigen de loyaalste aanhangers van het imperium te zijn. De leiders van nationale bevrijdingsbewegingen benadrukken (en exploiteren) algemene haatgevoelens tegenover deze minderheden, die als collaborateurs van de imperialisten worden gebrandmerkt. De transitie van rijksprovincie naar onafhankelijke natiestaat is een doorslaggevend moment in de geschiedenis van tolerantie. Vaak worden minderheden lastiggevallen, aangevallen en gedwongen te vertrekken, zoals de Indiase handelaren en ambachtslieden in Oeganda overkwam. Zij werden verbannen zodra de Britten waren vertrokken (en volgden hen naar Groot-Brittannië, waardoor zij het wereldrijk als het ware 'thuis' brachten en een nieuwe diversiteit in het centrum van het oude rijk schiepen). Deze groepen weten soms de positie van getolereerde minderheid te verwerven, maar de weg daarheen is zwaar en het eindpunt, zelfs als dat met succes wordt gehaald, komt waarschijnlijk neer op een nettoverlies aan veiligheid en status voor die minderheden. Dit is een van de 'algemene kostenaspecten' van nationale bevrijding, hoewel het kan worden vermeden, of in ieder geval verzacht, indien de nieuwe natiestaat liberaal en democratisch is.

Consociatie verlangt ook wederzijds respect tussen de leiders van de verschillende groepen; de groepen moeten namelijk niet alleen samenleven, maar ook onderling onderhandelen over de voorwaarden van hun coëxistentie. De onderhandelaars, net als de diplomaten in de internationale samenleving, moeten elkaars belangen tot overeenstemming kunnen brengen. Als ze dat niet kunnen of niet willen doen, zoals in Cyprus na de aftocht van de Britten, is de consociatie gedoemd te mislukken. Maar de individuele leden van de verschillende gemeenschappen hoeven geen overeenstemming te bereiken, behalve wanneer ze op de markt een koop willen afsluiten. Consociatie is in feite het gemakkelijkst wanneer de verschillende gemeenschappen niet al te veel met elkaar te maken hebben, bijvoorbeeld wanneer elke gemeenschap relatief zelfvoorzienend en naar binnen toe gericht is. Macht komt dan alleen tot uitdrukking – in getelde bevolkingsaantallen en tentoongespreide welvaart – op federatief niveau, waar gemeenschapsleiders twisten over de verdeling van de budgetten en de inrichting van de maatschappelijke dienstverlening. In natiestaten berust de macht bij de grootste nationale of etnische groep. Deze gebruikt de staat, zoals we hiervoor al hebben gezien, voor haar eigen doeleinden. Dit is niet noodzakelijk een belemmering voor wederkerigheid tussen individuen; in feite zal wederkerigheid gedijen in liberale, democratische samenlevingen. Maar minderheidsgroepen zijn in feite al ongelijk door hun omvang en zullen inzake kwesties van de gemeenschappelijke cultuur meestal democratisch worden overstemd. De meerderheid tolereert culturele ongelijkheid op dezelfde manier waarop regeringen politieke oppositie tolereren, namelijk door de vestiging van een stelsel van burgerlijke rechten en vrijheden en van een onafhankelijke rechterlijke macht om de effectiviteit ervan te verzekeren. Minderheidsgroeperingen zullen zich organiseren, verenigen, geld bijeenbrengen, diensten verlenen aan hun leden, tijdschriften en boeken publiceren; zij zullen zoveel mogelijk instellingen ondersteunen als zij denken nodig te hebben. Hoe sterker hun interne band is en hoe meer hun cultuur afwijkt van die van de meerderheid, des te minder spijt zullen ze hebben over het ontbreken van expressies van hun eigen overtuiging en gebruiken in het openbare domein. Als minderheidsgroepen daarentegen zwak zijn, zullen hun individuele leden in toenemende mate geneigd zijn de overtuigingen en gebruiken van de meerderheid over te nemen, op zijn minst in het openbaar, maar vaak genoeg ook in de privé-sfeer. Deze tussenpositie roept spanningen op en leidt tot aanhoudende schermutselingen over de symboliek van het openbare leven. Het contemporaine Franse voorbeeld dat ik in hoofdstuk 3 beschreef, levert meer dan voldoende bewijs voor de laatste van deze mogelijkheden.

Hetzelfde geldt voor de beginperiode van immigratielanden, wanneer de eerste immigranten ernaar streven een natiestaat te vormen. Opeenvolgende immigratiegolven produceren in principe een neutrale staat, de democratische variant van de bureaucratie van het imperium. Deze staat neemt – niemand weet voor hoelang – enkele praktische regelingen en de symboliek van zijn directe voorganger over en houdt deze in stand. Iedere nieuwe groep immigranten moet zich hieraan aanpassen, zelfs wanneer dit neerkomt op veranderingen in taal en cultuur van de eerste groep. Maar de staat claimt hierboven verheven te zijn en geen belang te hebben in het richting geven aan deze veranderingen. Hij richt zich alleen tot individuen en schept aldus – zij het eventueel pas na verloop van tijd – een open samenleving, waarin iedereen, zoals ik heb betoogd, betrokken is bij de uitoefening van tolerantie. De veel bejubelde stap 'voorbij de tolerantie' wordt dan naar alle verwachting mogelijk. Het is echter niet duidelijk of significante groepsverschillen ook gerespecteerd moeten blijven nadat deze stap is gezet.

Klasse

Intolerantie is over het algemeen het meest virulent wanneer verschillen in cultuur, etniciteit of ras samenvallen met klassenverschillen, anders gezegd wanneer de leden van minderheidsgroepen ook economisch onderworpen zijn. Deze onderwerping is pas het laatst te verwachten in multinationale rijken, waarbinnen iedere natie haar eigen rangorde van klassen bezit. Multinationalisme brengt meestal parallelle hiërarchieën voort, zelfs wanneer de verschillende naties niet gelijkwaardig in de rijkdom van het imperium delen. De internationale samenleving wordt gekenmerkt door hetzelfde parallellisme; derhalve hoeft de ongelijkheid tussen naties geen problemen op te leveren wat betreft tolerantie (welke andere problemen er ook verder zijn). De interacties van de elite van de staat worden bepaald door verschillen in macht, niet door verschillen in cultuur; de elite van een dominante staat zal heel snel de politieke leiders van 'inferieure' culturen weten op te waarderen wanneer die plotseling met nieuwe rijkdom of wapens in de raad der naties naar voren treden.

Idealiter neemt de federatieve staat dezelfde houding aan; de verschillende gemeenschappen, intern ongelijkwaardig, zijn ruwweg gelijkwaardige partners in het land als geheel. Maar het komt vaak voor dat een gemeenschap die cultureel afwijkend is, ook economisch ondergeschikt is. De Libanese Shi'a zijn hier een goed voorbeeld van, niet alleen van deze dubbele differentiatie, maar ook van de politieke ontneming van rechten, die daar over het algemeen een gevolg van is. Het proces werkt ook de andere kant op: wanneer regeringsambtenaren een onderscheid maken voor de leden van een bepaalde groep, wordt de vijandigheid die deze leden op elk ander vlak van het maatschappelijk leven ontmoeten, gelegitimeerd en geïntensiveerd. Hun gedeelde noodlot zijn de slechtste banen, de slechtste woningen en de slechtste scholen. Zij vormen een etnische of godsdienstig gedefinieerde lagere klasse. Zij worden op minimale wijze getolereerd – ze mogen bijvoorbeeld hun eigen plaatsen van aanbidding hebben – maar zij bevinden zich zonder meer aan het ontvangende uiteinde van deze tolerantie. Federatieve gelijkwaardigheid en wederzijdse erkenning, die de eerste verondersteld wordt te genereren, worden allebei ondermijnd door klassenongelijkheid.

Nationale minderheden in natiestaten bevinden zich soms in een gelijke positie, soms om dezelfde redenen. Of de causale keten nu begint bij een cultureel stigma of economische of politieke zwakte, vaak omvat zij alle drie. Maar het kan ook gebeuren dat het relatief machteloze nationale minderheden, zoals de Chinezen op Java, economisch voor de wind gaat (maar nooit zo goed als de demagogen van de meerderheid willen doen geloven). Zich terugtrekkende rijken laten vaak succesvolle minderheden gevaarlijk weerloos achter voor de intolerantie van de nieuwe heersers van de natiestaat. Die intolerantie kan extreme vormen aannemen, zoals we hebben gezien in het voorbeeld van de Indiase kolonisten in Oeganda. Zichtbare voorspoed houdt altijd een bepaald risico in voor een nationale minderheid, zeker als zij nieuw is. Onzichtbare armoede brengt daarentegen minder gevaar, maar wel grotere ellende met zich mee, de voedingsbodem voor een radicale onderwaardering en automatische, onbedachtzame discriminatie. Denk slechts aan de 'onzichtbare' mannen en vrouwen uit minderheidsgroepen (of lagere kasten), die de maatschappij dienen als straatveger, vuilnisophaler, vaatwasser, verpleeghulp, enzovoort, wier aanwezigheid als vanzelfsprekend wordt beschouwd. Zij worden slechts zelden door leden van de meerderheid rechtstreeks in het oog gekeken of bij een gesprek betrokken.

In immigratielanden komt dit soort groepen ook veel voor, bijvoorbeeld de jongste immigranten uit arme landen, die hun armoede hebben meegebracht. Maar immigranten (die per slot van rekening de paradigmatische leden van een immigratieland zijn) hoeven niet per se onder blijvende armoede of culturele stigmata te lijden, terwijl dit wel het lot is van overwonnen inheemse volken en onder dwang ingevoerde groepen, zoals de zwarte slaven en hun afstammelingen van Noord- en Zuid-Amerika. Hier valt een uiterst radicale politieke onderwerping samen met een uiterst radicale economische onderwerping, waarbij raciale intolerantie in beide gevallen een belangrijke rol speelt. De combinatie van politieke zwakte, armoede en raciale stigmata levert grote problemen op voor het regime van tolerantie dat het immigratieland verondersteld wordt te zijn. Gestigmatiseerde groepen beschikken doorgaans niet over de middelen om een sterke interne band te onderhouden; zij kunnen binnen het kader van een rijk dan ook niet functioneren als een corporatief georganiseerde, godsdienstige gemeenschap (hoewel overwonnen naties soms de legale vormen van een dergelijke gemeenschap wordt toegestaan) of als een territoriaal gebaseerde nationale minderheid. Evenmin wordt het de individuele leden toegestaan hun eigen weg te gaan en in het opwaartse voetspoor van eerdere immigranten te treden. Zij vormen als kaste een anomalie en verkeren op de allerlaagste trede van het klassensysteem.

Zodra het klassensysteem op min of meer dezelfde manier binnen een van de verschillende groepen wordt herhaald, blijkt tolerantie uitwisselbaar met ongelijkheid. Maar deze uitwisselbaarheid verdwijnt wanneer de groepen ook klassen zijn. Een etnische of godsdienstige groep die het lompenproletariaat of de onderklasse van een samenleving vormt, zal bijna zeker het mikpunt van extreme intolerantie vormen, niet zozeer van moordpartijen of uitstoting (want de leden van dergelijke groepen spelen vaak een belangrijke economische rol die niemand anders op zich wil nemen), maar wel van alledaagse discriminatie, afwijzing en vernedering. De andere groepen berusten ongetwijfeld in hun aanwezigheid, maar dit is niet het type berusting dat als tolerantie kan worden aangemerkt omdat het samengaat met een verlangen naar hun onzichtbaarheid.[2] In principe kan men respect aanleren voor mensen uit de onderklasse en hun rol, net als een algemene tolerantie voor allerlei mensen die allerlei soorten werk verrichten, met inbegrip van hard en smerig werk. In de praktijk is echter geen enkel respect of grotere tolerantie aannemelijk, tenzij het verband tussen groep en klasse is verbroken.

Het doel van positieve discriminatie bij de toelating van studenten aan universiteiten, de selectie van overheidsbeambten en de toewijzing van overheidsgelden, is deze connectie te verbreken tussen groep en klasse. Geen enkele inspanning is egalitair voor zover het individuen betreft; individuen worden min of meer naar onder of naar boven in de hiërarchie verplaatst. Positieve discriminatie is alleen egalitair op groepsniveau, waar gestreefd wordt naar het scheppen van vergelijkbare hiërarchieën door aan de meest ondergeschikte groepen de ontbrekende midden- en bovenklasse te geven. Indien het sociale profiel van alle groepen in grote lijnen gelijk is, zullen culturele verschillen gemakkelijker worden geaccepteerd. Deze vooronderstelling gaat niet op in geval van een ernstig nationaal conflict; waar pluralisme echter al bestaat, zoals in federatieve naties en immigratielanden, lijkt zij aannemelijk. Terzelfder tijd lijkt het voorbeeld van de Verenigde Staten aan te geven dat bevoorrechting van ondergeschikte groepen – wat de praktische voordelen op de lange termijn daarvan ook zijn – intolerantie op de korte termijn aanwakkert. Zij veroorzaakt reële onrechtvaardigheid voor bepaalde individuen (meestal leden van andere ondergeschikte groepen) en roept politiek gevaarlijke ressentimenten op. Het zou derhalve goed mogelijk kunnen zijn dat grotere tolerantie in pluralistische samenlevingen een breder egalitarisme verlangt. De sleutel tot succes voor deze regimes van tolerantie komt dus (waarschijnlijk) niet alleen neer op een herhaling van de hiërarchie in elke groep, maar ook op een reductie van hiërarchieën door heel de samenleving heen.[3]

Geslacht

Vragen over gezinsvormen, geslachtsrollen en seksueel gedrag behoren binnen alle contemporaine samenlevingen tot de meest omstreden kwesties. Het is echter een denkfout aan te nemen dat deze verdeeldheid geheel nieuw is; over polygamie, concubinaat, rituele prostitutie, de uitsluiting van vrouwen, besnijdenis en homoseksualiteit wordt al millennia geredetwist. Tal van culturen en religies ontleenden deels een eigen identiteit aan hun benadering van deze thema's. Ook hebben ze niet nagelaten de gewoonten van de 'anderen' te bekritiseren. Maar een bijna universeel mannelijke dominantie heeft altijd en overal beperkingen opgelegd aan waarover getwist kon worden (en wie aan de discussie mocht deelnemen). Vandaag de dag stellen de algemeen aanvaarde ideeën over gelijkheid en mensenrechten deze beperkingen ter discussie. Alles staat nu open voor debat en elke cultuur en religie wordt onderworpen aan een nieuw kritisch zelfonderzoek. Dit leidt soms tot tolerantie, maar kan evengoed op het tegenovergestelde uitkomen. De theoretische en praktische strijd tussen wat wel en niet toelaatbaar is, zal waarschijnlijk worden uitgevochten op dit terrein dat ik beknopt samenvat als het vraagstuk met betrekking tot de geslachten.

De grote multinationale rijken lieten dit vraagstuk gewoonlijk over aan hun ingezeten gemeenschappen. Geslacht werd beschouwd als een inherent interne aangelegenheid en stond – zo werd althans verondersteld – buiten elke vorm van gemeenschappelijke interactie. Vreemde, commerciële gebruiken werden op de gemeenschappelijke markten niet getolereerd, maar de gezinswetten ('privé'-recht) werden wel geheel en al overgelaten aan de traditionele religieuze autoriteiten of de (mannelijke) ouderen. Het gewoonterecht was ook in hun handen; rijksambtenaren kwamen hier zelden tussenbeide.

Neem bijvoorbeeld de uitgesproken tegenzin waarmee in 1829 de Britten in India uiteindelijk de *sati* of *suttee* verboden (de zelfdoding van een hindoeweduwe door zich op de brandstapel van haar overleden echtgenoot te werpen). Jarenlang tolereerde de East India Company, en later het Brits bestuur, deze praktijk op grond van wat een twintigste-eeuwse historicus heeft omschreven als een 'algemeen verkondigde intentie zowel het hindoeïsme als de islam te respecteren en de vrijheid van godsdienstbeoefening toe te staan'. Zelfs moslimheersers, die volgens deze historicus totaal geen respect hadden voor het hindoeïsme, ondernamen enkel schaarse, halfslachtige pogingen deze praktijk te verbieden.[4] De tolerantie van het rijk strekte zich dus erg ver uit, zeker wat betreft de *sati* zoals die in Britse verslagen wordt beschreven.

Het is op zijn minst voorstelbaar dat federatieve arrangementen een vergelijkbare tolerantie konden produceren, indien de macht van de verenigde gemeenschappen min of meer in evenwicht was en de leiders van een van de gemeenschappen bijzonder waren gehecht aan het een of andere traditionele gebruik. Een natiestaat, waar de macht per definitie niet evenwichtig is verdeeld, zou gebruiken als de *sati* niet tolereren binnen een nationale of godsdienstige minderheid. Evenmin is tolerantie met een dergelijk bereik voorstelbaar binnen immigratielanden waar iedere groep zelf een minderheid vormt tegenover de andere groepen. Het voorbeeld van de mormonen in de Verenigde Staten geeft aan dat afwijkende gebruiken als polygamie niet worden getolereerd, zelfs niet als het een volstrekt interne aangelegenheid betreft, wanneer zij zogezegd alleen het 'huiselijke' leven aangaan. In de laatste twee gevallen kent de staat een gelijkwaardig burgerschap toe aan al zijn ingezetenen – met inbegrip van hindoeweduwen en echtgenotes van mormonen – en legt allen een enkele wet op. Er zijn geen aparte gerechtshoven voor de verschillende gemeenschappen; het hele land valt onder één jurisdictie, waarbinnen staatsbeambten geacht worden *sati* tegen te gaan op precies dezelfde manier waarop zij zelfmoordpogingen moeten zien te voorkomen. En wanneer de hindoeweduwe onder dwang wordt 'geholpen', zoals vaak het geval was, moeten de staatsbeambten deze dwang als moord aanmerken, zonder clementie voor godsdienstige of culturele gebruiken.

Dit kan op zijn minst worden afgeleid uit de modellen van de natiestaat en het immigratieland, zoals ik die hierboven heb beschreven. Maar de realiteit blijft soms achter bij de theorie, zoals ook het geval is bij andere rituele gebruiken die het lichaam van de vrouw betreffen: verminking van de genitaliën of, neutraler gesteld, clitoridectomie en infibulatie. Deze twee ingrepen worden over het algemeen uitgevoerd op meisjes en jonge vrouwen in tal van Afrikaanse landen, en aangezien nog niemand een interventie op humanitaire gronden heeft voorgesteld, mag worden gesteld dat ze worden getolereerd door de internationale samenleving (getolereerd op staatsniveau, maar actief bestreden door een aantal organisaties die in de internationale samenleving actief zijn). De ingrepen

worden ook uitgevoerd in de Afrikaanse immigrantengemeenschappen in Europa en Noord-Amerika. Ze zijn expli-
ciet verboden in Zweden, Zwitserland en Groot-Brittannië,
maar daar worden nauwelijks inspanningen gedaan om dit
verbod op te leggen. In Frankrijk, de klassieke natiestaat (die
tegenwoordig, zoals we hebben gezien, ook een immigratieland is), liepen in het midden van de jaren tachtig ruim
23.000 meisjes het 'risico' te worden besneden. Het is niet bekend hoeveel er uiteindelijk werden behandeld. Niettemin
was er een aantal veel becommentarieerde processen (onder
de algemene noemer van de wet tegen mishandeling) tegen de
vrouwen die deze ingrepen uitvoeren en de moeders van de
meisjes. De vrouwen zijn veroordeeld, maar hun straffen
werden opgeschort. Het gebruik is (midden jaren negentig)
publiekelijk veroordeeld, maar wordt in feite getolereerd.[5]
Het argument voor de tolerantie ervan heeft te maken met het
'respect voor culturele verscheidenheid', een verscheidenheid
die, volgens het standaardmodel van de natiestaat, voort-
komt uit de keuzes van de karakteristieke leden van een culturele gemeenschap. Aldus een petitie uit 1989 tegen het criminaliseren van wat de Fransen 'besnijdenis' noemen: 'Een
strafmaat te eisen voor een gebruik dat niet de orde van de
Republiek aantast en waarvoor geen reden bestaat het niet
aan de privé-sfeer toe te wijzen, demonstreert een intolerantie
die alleen maar meer menselijk lijden kan oproepen dan zij
stelt te voorkomen, en die getuigt van een zeer eenzijdige, bekrompen opvatting over de democratie.'[6] Net als bij de *sati* is
het belangrijk de zaak waar het om gaat goed te omschrijven:
clitoridectomie en infibulatie 'zijn te vergelijken... niet met de
verwijdering van de voorhuid, maar met de verwijdering van
de penis'.[7] Men kan zich nauwelijks voorstellen dat circumci-
sie op deze manier als een zaak van eigen keuze wordt om-

schreven. De meisjes zijn hoe dan ook geen vrijwilligsters. En de Franse staat, zou men denken, is aan hen de bescherming van zijn wetten verschuldigd; sommigen zijn al Franse ingezetenen en anderen zullen de moeders van toekomstige staatsburgers zijn. Zij verblijven in Frankrijk en zullen in de toekomst deel uitmaken van het sociale en economische leven van dat land; en hoewel zij waarschijnlijk geheel binnen de migrantengemeenschap opgesloten zullen blijven, hoeft dit niet per se het geval te zijn. (Dat is een voordeel van in Frankrijk leven.) Wat individuen aangaat, mag tolerantie zich zeker niet uitstrekken tot rituele verminking, net zomin als rituele zelfmoord wordt getolereerd. Culturele verscheidenheid in een dergelijk extreme mate is alleen tegen inmenging beschermd wanneer de grenzen veel strakker worden getrokken dan binnen de natiestaat of het immigratieland mogelijk is.[8]

In andere gevallen, waar de morele waarden van de grootste gemeenschap – de nationale meerderheid of de coalitie van minderheden – niet direct worden uitgedaagd, kan het excuus van godsdienstige of culturele verscheidenheid (en 'particuliere' keuze) worden aanvaard en kunnen afwijkende gebruiken worden getolereerd. Dit is bijvoorbeeld het geval voor kleinschalige of sektarische minderheden zoals de Amerikaanse Amish of de Hasidim, aan wie de staatsoverheden (of gerechtshoven in hun uitspraken) soms bereid zijn een of ander compromis aan te bieden, zoals de scheiding van de seksen in schoolbussen en zelfs in klaslokalen.

Maar vergelijkbare concessies worden niet zo snel tegenover grotere, machtigere (en bedreigendere) groepen gedaan, zelfs niet in relatief meer onbeduidende gevallen. De bestaande compromissen kunnen bovendien altijd onder vuur worden genomen door elke willekeurige sekte of door een groepslid dat voor zijn burgerrechten opkomt. Stel bijvoorbeeld dat er

een regeling wordt uitgewerkt (zoals feitelijk zou moeten gebeuren), waardoor moslimmeisjes in Franse openbare scholen hun traditionele hoofddoek mogen dragen.[9] Dit zou neerkomen op een compromis met de norm van de natiestaat, een
compromis dat het recht van de immigrantengemeenschappen op een (gematigd) multicultureel openbaar domein bevestigt. De lekentraditie van het Franse onderwijssysteem
blijft bepalend voor de inrichting van het schooljaar en de
leerstof. Stel nu echter dat een aantal moslimmeisjes beweert
dat zij door hun familie gedwongen worden de hoofddoeken
te dragen en dat het bestaande compromis deze onderdrukking mede mogelijk maakt. Het compromis zou dan opnieuw
moeten worden besproken. In de natiestaat en het immigratieland – maar niet in het multinationale rijk – moet aan het
recht om tegen dit soort dwang te worden beschermd (net
zoals meisjes feitelijk ook zouden moeten worden beschermd
tegen de veel ernstiger dwang van clitoridectomie) voorrang
worden gegeven boven de 'gezinswaarden' van de minder-
heidsgodsdienst of -cultuur.

Al deze zaken liggen uiterst gevoelig. De onderwerping van
vrouwen – manifest in insluiting, fysieke afzondering of reële
verminking – is niet alleen gericht op de doorvoering van pa-
triarchale eigendomsrechten. Zij heeft ook te maken met het
cultureel of godsdienstig voortbestaan, waarvoor de vrouwen als de betrouwbaarste uitvoerders worden beschouwd.
Historisch gezien namen mannen deel aan het ruimere openbare leven van legers, regeringshoven, parlementen en markten; zij waren altijd potentiële dragers van vernieuwing en assimilatie. Net zoals een nationale cultuur beter bewaard blijft
op het land dan in de stad, zo blijft zij beter bewaard in privé-
of huiselijke omstandigheden dan in het publieke domein.
Vertaald naar de praktijk komt dat erop neer dat de nationale

cultuur beter bewaard blijft bij vrouwen dan onder mannen. De traditie wordt overgedragen door slaapliedjes die moeders zingen, de gebeden die zij fluisteren, de kleding die zij naaien, het eten dat zij bereiden, de huiselijke rites en gebruiken die zij onderrichten. Hoe moet deze overdracht plaatsvinden wanneer vrouwen het publieke domein betreden? Juist omdat scholing het eerste zwaartepunt is, roept een vraagstuk als dat over de hoofddoeken zoveel emoties op.

Wanneer een traditionele cultuur of godsdienst in een natie-staat of immigratieland ter discussie wordt gesteld, ontwikkelt zich de volgende argumentatiewijze: 'Jullie zijn bereid onze gemeenschap en gebruiken te tolereren,' stellen de traditionalisten. 'Gegeven die bereidheid, kunnen jullie ons niet het toezicht over onze kinderen ontzeggen (in het bijzonder onze dochters), anders tolereren jullie ons in feite toch niet.' Tolerantie houdt een recht in op het (doen) voortbestaan van een gemeenschap. Maar dit recht, als het al bestaat, raakt in conflict met de rechten van individuele burgers; zolang dat begrip 'burgers' tot de mannen beperkt bleef, hielden die rechten geen gevaarlijke consequenties in, maar nu omvat het begrip ook de vrouwen. Het lijkt onvermijdelijk dat individuele rechten het op de lange termijn zullen winnen, want het gelijkwaardig burgerschap is de hoeksteen van zowel de natie-staat als het immigratieland. Het voortbestaan van de gemeenschap staat dan niet langer zonder meer vast of zal worden gerealiseerd door processen die minder eenduidige resultaten opleveren. Traditionalisten zullen een eigen tolerantie moeten aanleren voor verschillende versies van hun eigen cultuur of godsdienst. Maar voordat die les is geleerd, kunnen we lange reeksen 'fundamentalistische' reacties verwachten, die zich vooral zullen richten op vraagstukken met betrekking tot het geslacht.

De abortusoorlogen in de Verenigde Staten heden ten dage werpen een licht op het karakter van deze reactionaire politiek. Voor de fundamentalistische kant is het morele dilemma of de samenleving stelselmatig moord op kinderen in de moederschoot zal toelaten. Maar de politieke discussie heeft voor beide kanten een andere focus: Wie heeft er controle over de voortplanting en het voortbestaan? De moederschoot is slechts het eerste slagveld, het (ouderlijk) huis en de school volgen en zijn, zoals we hebben gezien, reeds het onderwerp van dispuut. Welke culturele verschillen blijven er nog over om te worden getolereerd als deze discussies eenmaal zijn bijgelegd – wat uiteindelijk wel te verwachten is – ten gunste van de autonomie van de vrouw en de gelijkheid van de geslachten? Als de traditionalisten gelijk hebben, zal er niets overblijven. Maar het lijkt er niet op dat zij gelijk hebben. Gelijkheid tussen de geslachten zal verschillende vormen aannemen op verschillende momenten en plaatsen, en zelfs op hetzelfde moment en dezelfde plaats tussen verschillende groepen mensen, en sommige vormen zullen uiteindelijk consistent blijken te zijn met culturele verscheidenheid. Het kan zelfs gebeuren dat mannen een grotere rol op zich zullen nemen in het instandhouden en reproduceren van de culturen die zij claimen te waarderen.

Godsdienst

De meeste mensen in de Verenigde Staten, en in het Westen in het algemeen, geloven dat godsdienstige tolerantie vanzelfsprekend is. Ze lezen met onbegrip over godsdienstconflicten in gebieden niet ver van huis (in Ierland en Bosnië) of ver weg (in het Midden-Oosten en Zuidoost-Azië). Godsdienst moet in die oorden met etniciteit of nationalisme besmet zijn geraakt, of het moet een of andere extreme, fanatieke en daarom (zoals wij de zaken zien) ongewone vorm hebben aangenomen. Hebben wij immers niet aangetoond dat godsdienstvrijheid, vrijwillige samenwerking en politieke neutraliteit kunnen samenwerken om de potentiële risico's van godsdienstige differentie in te dammen? Moedigen deze beginselen van Amerikaans pluralisme niet wederzijdse verdraagzaamheid aan en brengen ze niet een gelukkige coëxistentie voort? Wij staan individuen toe te geloven wat zij willen geloven, zich vrijelijk te verenigen met medegelovigen en de kerk te bezoeken die zij wensen, niet te geloven wat zij niet willen geloven of weg te blijven uit de kerk van hun keuze, enzovoort. Wat kan iemand nog meer wensen? Is dit niet het model van een tolerant regime?

In feite zijn er natuurlijk andere bestaande of mogelijke regimes: het *milletler*-systeem is speciaal ontworpen voor godsdienstige gemeenschappen; consociaties brengen over het algemeen ook verschillende godsdienstige of etnische groepen samen. Maar de tolerantie jegens individuele gelovigen, die voor het eerst is uitgewerkt in het zeventiende-eeuwse Engeland en vervolgens de oceaan is overgebracht, is vandaag het overheersende model. En daarom is het noodzakelijk om enkele complicaties ervan nader te bestuderen. Ik wil twee thema's, die zowel historisch als vandaag de dag van belang zijn, verder uitwerken: ten eerste de volharding in de marge van moderne natiestaten en immigratielanden van godsdienstige groepen die eerder erkenning verlangen voor de groep zelf dan voor haar individuele leden; ten tweede de volharding in de aanspraken op 'godsdienstige' tolerantie en intolerantie, die zich uitstrekken voorbij vereniging en godsdienstbeoefening tot een grote variëteit van andere maatschappelijke gebruiken.

Een reden dat tolerantie zo eenvoudig werkt in landen als de Verenigde Staten, is dat de kerken en congregaties die door de individuen worden gevormd, wat hun theologische twistpunten ook mogen zijn, meestal sterk op elkaar lijken. De zeventiende-eeuwse tolerantie was allereerst een wederzijdse aanpassing van protestanten. En in de Verenigde Staten, na een vroege poging om een 'heilig gemenebest' te stichten in Massachusetts, neigde het zich uitbreidende regime van tolerantie ertoe de groepen die het opnam te 'protestantiseren'. Amerikaanse katholieken en joden gingen steeds minder lijken op de katholieken en joden in andere landen. De gemeenschappelijke controle werd minder; geestelijken spraken met minder gezag; individuen gingen uit van hun godsdienstige onafhankelijkheid, dreven weg van de gemeenschap en sloten gemengde huwelijken; de tendens tot afsplitsing, al welbekend vanaf het begin van de Reformatie, ontwikkelde zich tot een algemene karakteristiek van het Amerikaanse godsdienstige leven. Tolerantie bood ruimte aan differentie, maar zorgde onder de verschillende groepen ook voor een patroon van aanpassing aan het protestantse model, waardoor coëxistentie makkelijker werd dan elders misschien het geval was geweest.

Sommige groepen boden echter weerstand, zoals protestantse sekten, die vastbesloten waren te ontsnappen aan de 'dissidentie van afwijkende meningen' (de voedingsbodem, zogezegd, waarin zij oorspronkelijk wortel hadden geschoten), en orthodoxe facties binnen de traditionele godsdienstige gemeenschappen. Ik verwijs ook hier weer naar de eerdergenoemde voorbeelden, te weten de Amerikaanse Amish en de Hasidim. Het tolerantieregime bood ook ruimte aan deze groepen, zij het slechts in de marge van de samenleving. Het regime liet hun isolatie toe en sloot compromissen met hen over belangrijke vraagstukken, bijvoorbeeld het openbaar onderwijs. De Amish was het bijvoorbeeld lange tijd toegestaan hun kinderen thuis te onderwijzen; toen uiteindelijk van hen werd geëist (eerst door de staat Pennsylvania en later ook het Hoge Gerechtshof, met verwijzing naar een geval in Wisconsin), dat zij hun kinderen naar openbare scholen moesten sturen, werd tegelijkertijd toegestaan hun kinderen op een jongere leeftijd van school te halen dan de wet officieel voorschreef.[10] Wat in beginsel werd getolereerd, was een reeks individuele keuzes, gemaakt over verschillende generaties, om zich aan te sluiten bij de congregaties van de Amish en de godsdienst te beoefenen volgens de manier van de Amish. In de praktijk waren het de gemeenschap van de Amish als totaliteit en de dwingende controle over haar eigen kinderen (die slechts gedeeltelijk werd verzacht door openbare scholing) die het werkelijke object van tolerantie vormden en vormen. In het belang van deze (vorm van) tolerantie laat de Amerikaanse samenleving toe dat Amish-kinderen minder scholing in burgerschap krijgen dan over het algemeen van Amerikaanse kinderen wordt verlangd. Deze regeling wordt deels gerechtvaardigd door de marginaliteit van de Amish en deels door hun omhelzing van die marginaliteit, hun diepe overtuiging nergens anders dan aan de rand van de Amerikaanse samenleving te willen leven en geen invloed buiten hun eigen gemeenschap te willen zoeken. Andere vergelijkbaar marginale godsdienstige sekten hebben een vergelijkbare controle over hun kinderen weten te handhaven en worden grotendeels ongemoeid gelaten door de liberale staat.

Het interessantste aspect van de vroege Amerikaanse tolerantie was de vrijstelling van militaire dienst voor de leden van bepaalde protestantse sekten die bekend stonden om hun pacifistische overtuiging.[11] Tegenwoordig is het recht op gewetensbezwaren een individuele aangelegenheid, maar nog altijd beschouwen de autoriteiten het lidmaatschap van een van deze sekten als de duidelijkste aanwijzing voor gewetensbezwaren. Oorspronkelijk was de aanspraak op gewetensbezwaren niettemin het voorrecht van een groep. Gewetensbezwaren met betrekking tot een breed scala aan maatschappelijke onderwerpen – de weigering een eed af te leggen, zitting te nemen in een jury, openbaar onderwijs te volgen of belasting te betalen; de aanspraak op veelwijverij, dierenoffers, ritueel druggebruik, enzovoort – ontlenen al dan niet hun legitimiteit aan het feit dat het godsdienstige gebruiken betreft, aspecten van een collectieve levenswijze. Dergelijke gebruiken zouden absoluut niet legitiem worden geacht als ze op individuele gronden naar voren werden gebracht, zelfs wanneer de individuen erop zouden aandringen dat hun begrip van wat zij doen (of niet doen) een gewetenskwestie was, een morele 'wetenschap', gedeeld door ieder van hen en zijn of haar God.

Gebruiken en verboden van minderheidsgodsdiensten, buiten vereniging en godsdienstbeoefening, worden wel of niet getolereerd afhankelijk van hun zichtbaarheid of notoriteit en de mate van wrevel die zij oproepen bij de meerderheid. Een grote variëteit in praktische aanpassingen is mogelijk in zowel de natiestaat als het immigratieland. Mannen en vrouwen die de autoriteiten vertellen dat zij wegens hun godsdienst dit of dat moeten doen, krijgen daar hoogstwaarschijnlijk toestemming voor, zelfs als niemand anders het mag, en zeker wanneer zij het in alle stilte doen. En gemeenschapsleiders die de autoriteiten vertellen dat hun dwingende gezag noodzakelijk is voor de overleving van de gemeenschap, krijgen zeer wel toestemming dat gezag uit te oefenen, zij het gebonden aan bepaalde liberale beperkingen. Maar de druk is constant, zij het fluctuerend, op het individualistische model: de gemeenschap opgevat als een vrije vereniging, waar men altijd in en uit kan treden en die over slechts weinig mogelijkheden beschikt om het dagelijks leven van haar leden vorm te geven.

Tegelijkertijd wordt dit regime van tolerantie in de hedendaagse Verenigde Staten onder druk gezet door groepen uit de (christelijke) meerderheid, die niet zozeer de vrijheid van vereniging of godsdienstbeoefening bestrijden, maar wel vrezen voor een verlies aan sociale controle. Zij zijn bereid minderheidsreligies te tolereren (zij behartigen aldus de belangen van godsdienstvrijheid), maar zij stellen zich intolerant op tegenover persoonlijke vrijheden buiten het gebedshuis. Zoals sektarische minderheden ernaar streven het gedrag van hun eigen mensen onder controle te houden, zo streven de meer extreme leden van de godsdienstige meerderheid ernaar ieders gedrag te controleren, bijvoorbeeld in naam van een veronderstelde, gemeenschappelijke (joods-christelijke) traditie, van 'gezinswaarden' of van hun eigen zekerheden over wat goed of slecht is. Dit is ongetwijfeld een teken van godsdienstige intolerantie. Desalniettemin is het ook een teken van het partiële succes van het regime van tolerantie wanneer antagonisme zich niet op een godsdienstige minderheid in het bijzonder richt, maar eerder op de sfeer van vrijheid die het regime als geheel creëert.

Ongetwijfeld floreert tolerantie binnen deze sfeer – en bereikt misschien zelfs wat ik heb beschreven als haar meest intense vorm – maar godsdienstige tolerantie is er in ieder geval niet van afhankelijk. Uitgebreide beperkingen op de persoonlijke vrijheid, zoals het verbod op abortus, de censuur op boeken en tijdschriften (of op teksten op internet), discriminatie van homoseksuelen, de uitsluiting van vrouwen voor bepaalde beroepen, enzovoort – zelfs wanneer zij het product van godsdienstige intolerantie zijn – zijn volstrekt uitwisselbaar met godsdienstige tolerantie; dat wil zeggen met het bestaan van veel verschillende kerken en congregaties, waarvan de leden vrij op verschillende manieren hun godsdienst beoefenen. De tegenstrijdigheid geldt niet tolerantie en restrictie; zij is diep geworteld in het idee van de tolerantie jegens godsdienst zelf. Bijna alle getolereerde godsdiensten zijn er immers op gericht de vrijheid van het individu in te perken, en dat is, althans voor liberalen, het fundament van dit idee. De meeste godsdiensten zijn erop ingesteld gedrag te controleren. Wanneer wij van de religies verlangen dit doel op te geven, of de middelen om dat doel te bereiken, verlangen we een transformatie waarvan we het eindresultaat niet kunnen beschrijven.

Geheel vrije godsdienstige gemeenschappen bestaan natuurlijk al, maar zij lijken niet iedereen bevrediging te kunnen geven, zelfs niet de meeste gelovigen. Vandaar de terugkeer van sektarische en godsdienstige religiositeit en fundamentalistische theologieën die het heersende regime van tolerantie uitdagen. Maar als we ervan uitgaan dat de uitdaging zal worden overwonnen (dezelfde assumptie die ik in eerdere hoofdstukken heb gedaan), wat dan? Wat zal de overlevingskracht en het georganiseerde uithoudingsvermogen van een volstrekt voluntaristische godsdienst zijn?

Scholing

Scholen hebben in dit betoog al op veel plaatsen een vooraanstaande rol vervuld, met name in de discussie over geslacht en culturele reproductie. Maar er is één belangrijk thema waarop ik mij hier wil richten (en ook in de paragraaf over civiele religie), dat te maken heeft met het voortbestaan van het regime van tolerantie zelf. Moet het regime niet al zijn kinderen, van welke groep zij ook deel uitmaken, iets bijbrengen over de waarde van zijn eigen elementaire arrangementen en de deugden van zijn grondleggers, helden en huidige leiders? En zal die onderwijstaak, die min of meer unitarisch van aard is, niet ingrijpen in of minstens strijdig zijn met de socialisatie van kinderen binnen hun eigen culturele gemeenschap? Het antwoord is natuurlijk in beide gevallen bevestigend. Alle binnenlandse regimes moeten hun eigen waarden en deugden onderwijzen en de leerstof is ongetwijfeld competitief met wat de kinderen leren van hun ouders of binnen hun gemeenschap. Maar de competitie is of kan een bruikbare les in (de problemen van) wederzijdse tolerantie zijn. Leraren in het openbaar onderwijs moeten bijvoorbeeld godsdienstig onderricht buiten hun scholen tolereren, en godsdienstige leraren moeten het openbaar onderwijs respecteren wat betreft vakken over burgerrechten, politieke geschiedenis, de natuurwetenschappen en andere wereldlijke onderwerpen. De kinderen leren zo waarschijnlijk iets over de werking van tolerantie in de praktijk en iets over de onvermijdelijke spanningen die ermee samenhangen, bijvoorbeeld wanneer creationisten de openbare leerstof over biologie ter discussie stellen.

Multinationale rijken stellen de minste eisen aan het opvoedingsproces. Hun politieke geschiedenis, die hoofdzakelijk uit veroveringsoorlogen bestaat, roept waarschijnlijk geen gevoelens van loyaliteit op bij de overwonnen volken en zij kan dan ook het best uit de leerstof worden weggelaten. (Dergelijke geschiedenissen spelen waarschijnlijk eerder een rol in de verhalen van de gemeenschap over hun heldhaftige verzet in het verleden.) Meestal wordt de nadruk gelegd op loyaliteit jegens de keizer die geportretteerd wordt als heerser over alle volken. De keizer, en niet zozeer het rijk, is het kernthema van het officiële onderricht, want het laatste heeft een duidelijk nationalistisch karakter terwijl de individuele leider in ieder geval kan pretenderen boven zijn etnische oorsprong verheven te zijn. Soms richten zij zich zelfs op een radicale transcendentie, vergoddelijking, die hen bevrijdt van iedere particularistische identiteit. Maar het is hoe dan ook een voorbeeld van godsdienstige intolerantie wanneer de keizer verlangt te worden aanbeden door zijn onderdanen, zoals de Romeinse heersers die zelfs probeerden hun standbeelden in de tempel van Jeruzalem geplaatst te krijgen. De school is een beter podium voor het plaatsen van een beeld van keizer die aldaar welwillend op de kinderen kan neerzien, wat zij ook leren, in welke taal dan ook, onder welke lokale of gemeenschappelijke auspiciën dan ook.

Federatieve staten kunnen ook een minimalistisch leerplan onderwijzen, een leerplan dat is gericht op een doorgaans aangepaste geschiedenis van de communale coëxistentie en coöperatie, net als op de instellingen die het gezag van de staat uitdragen. Hoe langer de coëxistentie bestaat, des te waarschijnlijker is het dat de federatieve politieke identiteit een eigen culturele inhoud heeft aangenomen – zoals duidelijk het geval is voor de Zwitserse identiteit – die volledig opgewassen is tegen de identiteit van de verschillende gemeenschappen. Desondanks is dat wat wordt onderwezen, in principe althans, een politieke geschiedenis, waarbinnen deze gemeenschappen een erkende en gelijke plaats bekleden.

De situatie is natuurlijk volstrekt anders voor natiestaten met nationale minderheden, waarbinnen één groep geprivilegieerd is boven alle andere gemeenschappen. Dit type regime is een stuk gecentraliseerder dan imperia en consociaties en heeft dan ook een grotere behoefte (vooral wanneer het democratisch georganiseerd is) aan burgers, mannen en vrouwen die loyaal zijn, betrokken, competent en vertrouwd als het ware met de stijl van de dominante natie. Openbare scholen zullen ernaar streven dit type burgers voort te brengen. Arabieren in Frankrijk zal aldus loyaliteit aan de Franse staat worden onderwezen, betrokkenheid bij de Franse politiek, competentie in de gebruiken en expressiewijzen van de Franse politieke cultuur, kennis over de Franse politieke geschiedenis en institutionele structuren. Arabische ouders en kinderen lijken deze opvoedkundige doeleinden min of meer te aanvaarden; zij hebben alleen geprobeerd, zoals we eerder hebben gezien, hun Arabische of islamitische toewijding door de symboliek van hun kleding tot uitdrukking te brengen, niet door een verandering van de leerstof. Zij nemen er genoegen mee, zo lijkt het althans, hun eigen cultuur te onderhouden in bijzondere scholen, in een godsdienstige omgeving en thuis. Maar het Frans staatsburgerschap is een gewichtige zaak, met resonanties tot ver buiten de louter politieke sfeer. De integrerende en assimilerende kracht ervan is al jarenlang bewezen en zal op veel ouders, zoniet ook hun kinderen, als een culturele bedreiging overkomen. Als landen, net als Frankrijk, meer op een immigratieland gaan lijken, des te meer verzet zal er tegen deze bedreiging komen.

Welk soort verzet dat zal zijn, valt af te leiden uit de leerstofstrijd in een immigratieland als de Verenigde Staten. Daar wordt kinderen onderwezen dat zij individuele burgers van een pluralistische en tolerante samenleving zijn, waarin wordt getolereerd wat hun eigen keuze is voor een cultureel lidmaatschap of culturele identiteit. De meesten zijn natuurlijk al aan een bepaalde identiteit gebonden, bijvoorbeeld door de 'keuzes' van hun ouders of, zoals in het geval van raciale identiteit, door hun plaats in een sociaal systeem van differentiatie. Maar zij hebben als Amerikanen ook het recht andere keuzes te mogen maken en zij zijn verplicht de bestaande identiteiten en overige keuzes van hun landgenoten te tolereren. Deze vrijheid en deze tolerantie vormen de bouwstenen van wat we het Amerikaanse liberalisme kunnen noemen.

De scholen leren kinderen uit alle etnische, godsdienstige en raciale groepen van Amerika om op deze wijze liberaal en aldus Amerikaans te zijn, net zoals kinderen in Franse scholen onderwezen wordt republikeins en aldus Frans te zijn. Maar het Amerikaanse liberalisme is cultureel neutraal op een manier die niet opgaat voor het Franse republicanisme. Dit onderscheid lijkt te stroken met de twee politieke doctrines: het republicanisme verlangt, zoals Rousseau leerde, een sterke culturele basis teneinde een hoog participatieniveau onder de burgers te bewerkstelligen; het liberalisme, dat minder veeleisend is, lijkt meer ruimte te bieden voor het privé-leven en een culturele diversiteit. Maar zulke verschillen kunnen gemakkelijk worden overdreven.[12] Liberalisme is ook wezenlijk een politieke cultuur, waarvan de oorsprong in ieder geval teruggaat op de protestantse en Engelse geschiedenis. Het inzicht dat Amerikaanse scholen deze geschiedenis in feite weerspiegelen, en zich er amper neutraal tegenover kunnen opstellen, heeft ertoe geleid dat sommige niet-protestantse en niet-Engelse groepen een multiculturele scholing verlangen; het liberale verhaal hoeft dan niet zozeer uit de leerstof te worden verwijderd, maar er moeten andere verhalen aan worden toegevoegd.

Er wordt algemeen – en terecht – beweerd dat een kernpunt van de multiculturele samenleving is dat kinderen over elkaars cultuur worden onderwezen, dat het pluralisme van het immigratieland in het klaslokaal wordt gebracht. Terwijl de eerdere versie van neutraliteit, die al dan niet terecht als culturele vermijding werd opgevat, er eenvoudigweg op gericht was van alle kinderen Amerikanen te maken (hetgeen in hoge mate overeenkwam met Engelse protestanten), streeft het multiculturalisme ernaar hen te erkennen als de import-Amerikanen die zij zijn en hen begrip en bewondering bij te brengen voor hun eigen diversiteit. Er is geen reden om te denken dat dit begrip of deze bewondering op gespannen voet staat met de eisen van het liberale burgerschap; niettemin moet andermaal worden benadrukt dat het liberale burgerschap een stuk ontspannener is dan dat van een republikeinse natie-staat.

Maar multiculturalisme komt soms ook op een andersoortig programma neer, een programma dat erop gericht is openbare scholen te gebruiken voor de versterking van bedreigde of ondergewaardeerde identiteiten. Het gaat er dan niet om andere kinderen te leren wat het betekent om op een bepaalde manier anders te zijn maar om kinderen, van wie wordt verondersteld dat zij anders zijn, bij te brengen hoe zij op de juiste manier anders kunnen zijn. Zo'n programma is zonder meer illiberaal, althans in die zin dat het gevestigde of veronderstelde identiteiten versterkt en niets te maken heeft met wederkerigheid of individuele keuzes. Het brengt waarschijnlijk ook een bepaalde vorm van culturele afscheiding met zich mee, zoals in de theorie en praktijk van het Afrocentrisme dat zwarte kinderen op openbare scholen van een zelfde identiteit voorziet als de kerk voor katholieke kinderen op bijzondere scholen doet. Nu bestaat pluralisme enkel in het systeem als geheel en niet binnen de beleving van ieder kind; de staat moet zich dan ook inspannen de verschillende scholen te verplichten de waarden van het Amerikaanse liberalisme te onderwijzen, wat zij ook verder daarnaast wensen te onderwijzen. Het katholieke voorbeeld geeft aan dat een immigratieland met deze regeling uit de voeten kan, in ieder geval zolang het merendeel van de kinderen in gemengde klassen zit. Of de liberale politiek kan worden volgehouden als alle kinderen een bepaalde versie (hun 'eigen' versie) van een katholieke of Afrocentrische scholing ontvangen, is enigszins twijfelachtig. Succes zou dan afhangen van de opvoeding buiten de school: de alledaagse ervaringen met de massamedia, op het werk en in politieke activiteiten.

Civiele religie

Denk eens na over wat er in openbare scholen wordt onderwezen over de waarden en deugden van de staat zelf als de seculiere openbaring van een 'civiele religie' (de term is van Rousseau).[13] Behalve in het geval van de vergoddelijkte keizer is deze openbaring hoofdzakelijk religieus door analogie, maar het is de moeite waard deze analogie door te zetten. Want dit is, zoals het schoolvoorbeeld duidelijk maakt, een 'religie' die niet kan worden losgemaakt van de staat: zij is dé geloofsbelijdenis van de staat, van cruciaal belang voor zijn voortbestaan en zijn blijvende stabiliteit. De civiele religie bestaat uit de complete reeks van politieke doctrines, historische verhalen, uitzonderlijke voorbeelden, plechtige vieringen, herdenkingen en overige rituelen, waardoor de staat een indruk achterlaat in de geest van zijn onderdanen, in het bijzonder van zijn nieuwste en jongste leden. Hoe kan er meer dan een dergelijke reeks voor iedere staat bestaan? Ongetwijfeld kunnen civiele religies elkaar onderling verdragen, maar dan alleen op het niveau van de internationale samenleving en niet binnen een enkel binnenlands regime.
Desondanks leidt civiele religie regelmatig tot intolerantie op het niveau van de internationale samenleving, bijvoorbeeld

door de aanmoediging van trots op de levenswijze aan deze kant van de grens en van wantrouwen of angst voor het leven aan gene zijde. De binnenlandse effecten ervan kunnen daarentegen positief zijn, aangezien zij iedereen (aan deze kant van de grens) van een gemeenschappelijke basisidentiteit voorzien en aldus de bestaande differentiatie minder bedreigend maakt. Civiele religie is net als het openbaar onderwijs zonder meer competitief met het groepslidmaatschap; zie bijvoorbeeld het geval van de Franse republikeinen en katholieken eind negentiende eeuw of dat van republikeinen en islamieten heden ten dage. Maar omdat civiele religies over het algemeen niet over een theologisch systeem beschikken, kunnen zij ook ruimte maken voor verschillen, zelfs of in het bijzonder voor godsdienstige verschillen. Ondanks het specifieke historische conflict van de revolutiejaren, is er dan ook geen enkele reden om aan te nemen dat een gelovige katholiek geen toegewijd republikein kan zijn.

Tolerantie zal waarschijnlijk het best uit de verf komen als de civiele religie het minst op een... religie lijkt. Was Robespierre er bijvoorbeeld in geslaagd de republikeinse politiek te verbinden aan een volledig uitgewerkt deïsme, dan had hij wellicht een permanente barrière kunnen opwerpen tussen republikeinen en katholieken (en islamieten, en joden). Maar zijn falen is emblematisch: politieke geloofsbelijdenissen nemen op eigen risico de culturele bagage van een waarachtig godsdienstig geloof over. Men kan hetzelfde zeggen over de culturele bagage van een antigodsdienstig geloof. Militant atheïsme maakte de communistische regimes van Oost-Europa even intolerant als ieder ander orthodox geloof, uiteindelijk ook politiek zwak, want zij waren niet in staat een groot aantal van hun eigen burgers te overtuigen. De meeste civiele religies behelpen zich wijselijk met een vage, onuitgewerkte, vrij-

zinnige religiositeit die eerder neerkomt op verhalen en feestdagen dan op duidelijke, uitgesproken overtuigingen.

Het kan natuurlijk juist deze vrijzinnigheid zijn waartegen
orthodoxe groepen zich verzetten, omdat zij vrezen dat dit
hun kinderen tolerant maakt tegenover religieuze dwalingen
of wereldlijk ongeloof. Het is moeilijk om dit soort angsten
correct tegemoet te treden; men hoopt dat zij gerechtvaardigd
zijn en dat de openbare scholen, de verhalen en de feestdagen
van de civiele religie exact het effect zullen hebben, dat de orthodoxe ouders vrezen. Het staat ouders vrij hun kinderen
van de openbare school te halen en te ontsnappen aan de civiele religie door voor een of andere vorm van sektarische isolatie te kiezen. Maar het is onzinnig om te betogen dat respect
voor diversiteit een immigratieland als de Verenigde Staten
ervan moet weerhouden respect voor diversiteit te onderwijzen. En het is zonder meer een gelegitimeerde vorm van liberale scholing om verhalen te vertellen over de geschiedenis
van die diversiteit en de belangrijke historische feiten daarvan
te vieren.[14]

In natiestaten zullen de verhalen en vieringen andersoortig
zijn. Zij zullen voortkomen uit, en de waarde onderwijzen
van, de historische beleving van de nationale meerderheid.
De civiele religie maakt weliswaar een verdere differentiatie
binnen de meerderheid mogelijk – volgens godsdienstige, regionale en sociale normen – maar slaat geen brug naar de
minderheden. In plaats daarvan bepaalt zij de standaard voor
individuele assimilatie. Om Fransman te worden, zo geeft zij
bijvoorbeeld aan, moet je je kunnen voorstellen dat jouw
voorouders de Bastille hebben bestormd of dat zij dat in ieder
geval zouden hebben gedaan als zij op het juiste moment in
Parijs waren geweest. Maar een nationale minderheid met
een eigen civiele religie kan worden getolereerd zolang haar

rituelen privé worden gevierd. En haar leden kunnen staatsburger worden, kunnen zich bijvoorbeeld de Franse politieke cultuur eigen maken, zonder enige denkbeeldige investering in het Frans-zijn.

De gemeenschappelijke identiteit die door een civiele religie wordt gecultiveerd, is met name belangrijk voor immigratielanden waar reeds zoveel uiteenlopende identiteiten voorkomen. In multinationale rijken zijn de identiteiten nog diverser, maar hier is gemeenschappelijkheid – los van de persoon van de keizer en de algemene loyaliteit die hij verlangt – minder belangrijk. Hedendaagse immigratielanden zijn ook democratische staten en zij zijn althans gedeeltelijk voor hun politieke gezondheid afhankelijk van de toewijding en het activisme onder hun burgers. Maar als de lokale civiele religie deze kwaliteiten moet versterken en celebreren, dan moet zij niet alleen andere godsdiensten, maar ook andere civiele religies tolereren. Haar meest enthousiaste protagonisten zullen natuurlijk de andere willen verdringen; dat was bijvoorbeeld de boodschap van de amerikaniseringscampagne aan het begin van de twintigste eeuw. En misschien zal dat ook het langetermijngevolg zijn van het Amerikaanse experiment. Misschien is ieder immigratieland een natiestaat-in-wording en is de civiele religie een van de instrumenten voor deze transformatie. Niettemin komt een campagne ten voordele van de civiele religie neer op een daad van intolerantie, een daad die waarschijnlijk verzet zal oproepen en het aantal splitsingen zal doen toenemen onder (en ook binnen) de verschillende groepen.

Het blijkt, hoe dan ook, dat een civiele religie als het amerikanisme redelijk goed kan samengaan met wat men alternatieve, civiele religieuze gebruiken zou kunnen noemen onder haar eigen participanten. De verhalen en vieringen die bijvoorbeeld horen bij Thanksgiving, Memorial Day of de vierde juli, kunnen coëxisteren in het gemeenschappelijke leven van Ierse Amerikanen, Afro-Amerikanen of joodse Amerikanen met hun totaal verschillende verhalen en vieringen. Differentie betekent hier niet tegenstrijdigheid. Geloofsovertuigingen kunnen veel gemakkelijker tegenover elkaar komen te staan dan verhalen en de ene viering ontkent de andere niet, sluit deze niet uit en verwerpt haar evenmin. Het is een stuk gemakkelijker de gemeenschappelijke of familiale vieringen van onze medeburgers te aanschouwen wanneer wij weten dat zij samen met ons ook in het openbaar bepaalde evenementen zullen vieren. De civiele religie maakt aldus dus de tolerantie van partiële verschillen mogelijk of zij moedigt ons aan verschillen slechts als partieel te beschouwen. Wij zijn Amerikanen, maar ook iets anders, en als anderen zijn wij veilig in zoverre wij Amerikanen zijn.

Zonder twijfel zullen er ideologisch of theologisch verder uitgewerkte minderheidsgodsdiensten zijn die Amerikaanse waarden tegenspreken, maar daar is in het openbare Amerikaanse leven slechts weinig bewijs voor te vinden. Evenmin is het niet moeilijk een intoleranter amerikanisme voor te stellen dat zich bijvoorbeeld laat definiëren in christelijke termen; dat zich exclusief of zelfs raciaal verbindt aan zijn Europese wortels; of dat wordt bepaald door kleingeestige politieke opvattingen. Dit soort amerikanismen kwam in het verleden voor (vandaar het begrip 'on-Amerikaanse' activiteiten, dat in de jaren dertig van de twintigste eeuw door Amerikaanse communistenvreters werd bedacht) en bestaat nog altijd, maar op geen enkele wijze domineert het de overheersende opvattingen van dit moment. De Amerikaanse samenleving is niet alleen in beginsel, maar ook in werkelijkheid een verzameling individuen met veelsoortige, partiële identiteiten. Godsdiensten hebben vaak dergelijke realiteiten ontkend en civiele religies kunnen streven naar een dergelijke ontkenning. Het zou zelfs waar kunnen zijn dat het patroon voor differentie in de Verenigde Staten en andere immigratielanden instabiel en niet permanent is. Maar zelfs als dat het geval is, is een *Kulturkampf* tegen differentie niet de beste reactie op deze situatie. Civiele religie zal eerder slagen door meegaandheid jegens de veelsoortige identiteiten van de mannen en vrouwen die zij voor zich tracht te winnen. Haar doel is per slot van rekening slechts politieke socialisatie en niet een complete bekering.

De onverdraagzamen tolereren

Moeten wij de onverdraagzamen tolereren? Deze vraag wordt vaak omschreven als de centrale, moeilijkste kwestie binnen de theorie over tolerantie. Toch kan dat niet juist zijn, omdat de meeste groepen die binnen de vier binnenlandse regimes getolereerd worden, intolerant zijn. Er bestaan nadrukkelijk 'anderen' over wie zij enthousiast noch benieuwd zijn, wier rechten zij niet erkennen, tegenover wier bestaan zij feitelijk onverschillig noch berustend staan. In multinationale rijken zijn de verschillende 'naties' misschien tijdelijk berustend; zij hebben zich aangepast aan de coëxistentie onder het bestuur van het rijk. Maar als zij zichzelf zouden besturen, dan hadden zij geen reden voor berusting en sommigen zouden zonder meer voor beëindiging van de oude coëxistentie opteren. Dat is wellicht een goede reden om ze politieke macht te onthouden, maar het is absoluut geen reden voor een weigering hen binnen het rijk te tolereren. Hetzelfde geldt voor federatieve staten waar de kern van de constitutionele regeling neerkomt op de inperking van de aannemelijke intolerantie van de geassocieerde gemeenschappen.

Dienovereenkomstig moeten minderheden binnen natiestaten en immigratielanden te allen tijde worden getolereerd, ook al is het algemeen bekend dat hun landgenoten of medegelovigen die in andere landen aan de macht zijn, wreedaardig intolerant zijn. Deze zelfde minderheden kunnen hier niet intolerant optreden (laten we bijvoorbeeld zeggen in Frankrijk of de Verenigde Staten): zij kunnen immers niet hun naasten op de kop zitten of individuen uit hun eigen midden, die een afwijkende of ketterse mening hebben, vervolgen of onderdrukken. Maar het staat hen wel vrij mensen met deviant gedrag of ketterse opinies te excommuniceren en ostraciseren; zij hebben even goed het recht te geloven dat zulke mensen voor eeuwig verdoemd zijn en geen recht hebben op een plaats in de komende wereld. Zij mogen zonder meer stellen dat sommige medeburgers een leven leiden dat God verwerpt of dat absoluut niet te verenigen is de ontplooiing van de mens. Veel protestantse sektariërs, voor wie het moderne regime van tolerantie oorspronkelijk was ontworpen en die ervoor hebben gezorgd dat het werkt, geloofden en zegden dergelijke dingen.

De crux van de scheiding tussen kerk en staat in de moderne regimes is politieke macht te ontzeggen aan alle godsdienstige autoriteiten op grond van de realistische aanname dat zij allemaal op zijn minst potentieel intolerant zijn. Gegeven de effectiviteit van de ontzegging, kunnen zij wellicht aanleren tolerant te zijn; waarschijnlijker is echter dat zij kunnen aanleren te doen alsof zij over deze deugd beschikken. Heel wat gewone gelovigen bezitten klaarblijkelijk deze deugd, met name in immigratielanden, waar dagelijkse ontmoetingen met zowel interne als externe 'anderen' onvermijdelijk zijn. Maar ook deze mensen hebben behoefte aan afscheiding en zullen dat ongetwijfeld politiek ondersteunen als bescherming voor zichzelf, en iedereen, tegen het mogelijke fanatisme van hun medegelovigen. Een even grote kans op fanatisme bestaat ook onder etnische activisten en militanten (in immigratielanden); om exact dezelfde redenen moet etniciteit daarom ook van de staat worden gescheiden.

Democratie vereist ook nog een volgende scheiding, een scheiding die over het algemeen niet goed begrepen wordt: de scheiding van politiek zelf van de staat. Politieke partijen strijden om de macht en worstelen om een programma tot uitvoer te brengen dat doorgaans wordt vormgegeven door een ideologie. Maar de winnende partij kan haar ideologie, hoewel zij die in een reeks wetten kan omzetten, niet tot de officiële geloofsbelijdenis van de civiele religie maken; zij kan de dag van haar machtsovername niet tot een nationale feestdag maken; zij kan niet verlangen dat de partijgeschiedenis officieel gaat deel uitmaken van de algemene leerstof; zij kan de staatsmacht niet gebruiken om publicaties of de bijeenkomsten van andere partijen te verbieden.[15] Dat is wat gebeurt onder totalitaire regimes en komt ook geheel overeen met de politieke vestiging van een enkele, monolitische kerk. Godsdiensten die hopen de overmacht te behalen en partijen die ervan dromen totale controle te bereiken, kunnen in liberale democratische natiestaten en immigratielanden worden getolereerd, wat meestal ook gebeurt. Maar (zoals ik al aan het begin van dit essay heb aangegeven) kan hen ook worden verhinderd een greep te doen naar de macht binnen de staat en zelfs mee te doen met de verkiezingen.[16] Afscheiding komt in hun geval erop neer dat zij beperkt worden tot de burgermaatschappij: zij mogen prediken, publiceren en bijeenkomen; hen wordt alleen een sektarisch bestaan toegestaan.

Hoofdstuk 5

Moderne en postmoderne tolerantie

De moderne projecten

Ik heb hierboven enkele beperkingen van tolerantie doorgenomen, maar ik heb nog niet de regimes van intolerantie besproken, wat veel rijken, natiestaten en immigratielanden in feite zijn. In deze regimes is de tolerantie jegens differentie vervangen door een streven naar eenheid en singulariteit. Het centrum van het rijk streeft ernaar iets groters dan een natiestaat te creëren, zoals bijvoorbeeld het geval was tijdens de campagnes tot 'russificatie' van de tsaren in de negentiende eeuw. Of de natiestaat intensiveert de druk op minderheden en immigranten: assimileer of vertrek! Of het immigratieland voert de hitte van haar 'smeltkroes' op, ernaar strevend een nieuwe nationaliteit te smeden (doorgaans gevormd naar de mal van een oudere groep kolonisten of immigranten). De 'veramerikanisering' aan het begin van de twintigste eeuw is het voorbeeld dat ik heb aangehaald voor het laatste project, dat eigenlijk neerkomt op een poging immigranten binnen te halen zonder hun onderlinge verschillen te incorporeren. Dergelijke pogingen leiden soms ertoe dat culturele en godsdienstige verschillen worden uitgewist, maar soms – wanneer ze net niet neerkomen op regelrechte vervolging – helpen ze in feite deze verschillen te versterken. Zij bakenen de leden van minderheidsgroepen af, onderscheiden hen door hun lidmaatschap ervan, dwingen hen op elkaar te vertrouwen, smeden intensieve solidariteit. Niettemin kiezen noch de leiders van de minderheidsgroepen noch de meest toegewijde leden vrijwillig voor een dergelijk regime van intolerantie.[1] Gegeven de mogelijkheden zullen zij zoeken naar een of andere vorm van individuele of collectieve tolerantie: enerzijds door zich een voor een te assimileren en op te laten nemen in het lichaam van staatsburgers, anderzijds door internationale erkenning en een zekere mate van zelfbestuur na te streven (bijvoorbeeld regionale of functionele autonomie, een federatieve of soevereine staatsvorm).

We kunnen deze twee vormen van tolerantie – individuele assimilatie en groepserkenning – als de kernprojecten van de moderne democratische politiek beschouwen. Zij worden doorgaans in wederzijds exclusieve termen verwoord: ofwel individuen ofwel groepen zullen van vervolging en onzichtbaarheid worden verlost; individuen zullen alleen worden bevrijd voor zover zij uit hun groep zijn getreden. Ik heb hierboven al Sartre's verslag over deze laatste positie aangehaald, die haar oorsprong heeft in de Franse revolutie. De revolutionairen streefden er aanvankelijk naar het individu te verlossen van de oude gildegemeenschappen en hem (en later ook haar) binnen een cirkel van rechten te plaatsen; vervolgens probeerden zij deze met rechten begiftigde individuen te wijzen op hun burgerlijke plichten. Tussen het individu en het politieke regime, de republiek van Franse staatsburgers, bestond er (in de geest van de revolutionairen) slechts een open ruimte, hetgeen de overgang tussen het particuliere en het openbare leven vergemakkelijkte en aldus culturele assimilatie en politieke participatie bevorderde.

Postrevolutionaire liberalen en democraten leerden geleidelijk aan de tussenliggende associaties, die in feite deze ruimte opvulden, te waarderen als de uitdrukking van individuele belangen en overtuigingen én als een leerschool voor de democratie. Maar dezelfde associaties boden tegelijkertijd een tehuis voor nationale minderheden, waar de collectieve identiteit kon worden gecultiveerd en waar verzet kon worden geboden tegen de druk om te assimileren. Liberale democraten kunnen (binnen bepaalde grenzen) zowel die cultivering als het verzet accepteren, tot aan het altijd omstreden punt waar de associaties dreigen de individuele leden te onderdrukken of hun republikeinse toewijding te ondergraven. Republikeinse burgers tolereren individuen uit minderheden door hen ongeacht hun godsdienst of etniciteit te aanvaarden als medestaatsburgers en door vervolgens de groepen die zij vormen te tolereren, in zoverre het in de strikte zin van het woord secundaire associaties zijn.

Democratische inclusiviteit is het eerste modernistische project. We kunnen de politiek van democratisch links in de laatste twee eeuwen opvatten als een reeks worstelingen voor insluiting: joden, arbeiders, vrouwen, zwarten en immigranten van allerlei pluimage bestormen de muren van de stad der burgers. In het verloop van de strijd vormen zij sterke partijen en bewegingen, organisaties voor collectieve bescherming en vooruitgang. Maar wanneer zij de stad binnengaan, betreden zij haar als individuen.

Het alternatief voor toetreding is afscheiding. Dit is het tweede modernistische project: de groep die als totaliteit van een stem, een eigen plek en een eigen politiek wordt voorzien. Wat nu vereist is, is niet een worsteling voor insluiting maar een worsteling om begrenzing. Het doorslaggevende trefwoord voor deze worsteling is 'zelfbeschikkingsrecht', hetgeen de behoefte inhoudt aan een eigen gebied of minimaal een serie onafhankelijke instellingen; vandaar decentralisatie, overdracht, autonomie, scheiding of soevereiniteit. Het correct trekken van grenslijnen is bijzonder moeilijk, niet alleen in geografische maar ook in functionele zin. Om elke politieke resolutie wordt bitter gestreden. Maar tot op zekere hoogte moet er sprake zijn van vastberadenheid, willen de verschillende groepen op zinnige wijze, en veilig, controle kunnen uitoefenen over hun eigen lot.

Het werk gaat door tot op de dag van vandaag: de aanpassing van de oude regelingen van het rijk en de uitbreiding van het moderne internationale systeem, de proliferatie van natiestaten, zelfbestuurde regio's, onderscheiden samenlevingen, lokale autoriteiten, enzovoort. Let op wat er in dit tweede project wordt erkend en getolereerd: het zijn altijd groepen en hun leden, mannen en vrouwen, opgevat alsof zij over een eenduidige of in ieder geval primaire identiteit beschikken, die etnisch of godsdienstig van karakter is. Het werk is kennelijk afhankelijk van de mobilisatie van deze mensen, maar het zijn slechts hun leiders die in feite met elkaar in overleg treden, over de grenzen heen, de een tegenover de ander (tenzij er natuurlijk sprake is van een militaire relatie). De gemeenschappelijke autonomie bevestigt de autoriteit van de traditionele elites; consociaties nemen gewoonlijk de vorm aan van een regeling, waarbij de macht door de elites wordt gedeeld; natiestaten reageren onderling via hun diplomatieke kaders en politieke leiders. Voor de massa der groepsleden wordt tolerantie gehandhaafd door afscheiding, op aanname van het feit dat deze mensen zichzelf als groepslid beschouwen en zich hoofdzakelijk onderling willen associëren. Zij gaan ervan uit dat 'een goed hek goede buren maakt'.[2]

Maar deze twee projecten kunnen ook simultaan worden nagestreefd door verschillende groepen, zelfs door verschillende leden van dezelfde groep. Deze laatste mogelijkheid vindt in werkelijkheid gewoonlijk doorgang: sommigen proberen aan de beperkingen van hun religieuze of etnische groepsbinding te ontsnappen door te stellen dat ze enkel en alleen burgers zijn, terwijl anderen alleen wensen te worden erkend en getolereerd als leden van een georganiseerde gemeenschap, als godsdienstige gelovigen of als leden van een etnische groep. Individuen met een eigen wil (of degenen die eenvoudigweg excentriek zijn aangelegd), die zich hebben losgemaakt van de achtergronden van hun gemeenschap, coëxisteren samen met toegewijde (of eenvoudigweg gesettelde) mannen en vrouwen die deze achtergrond vormgeven en wensen uit te dragen. De twee projecten lijken dan onderling competitief: moeten we individuele ontsnapping verkiezen boven toewijding aan de groep? Er bestaat echter geen enkele goede reden voor een bepaalde voorkeur. De spanning moet van geval tot geval afzonderlijk worden uitgewerkt, op verschillende manieren voor verschillende groepen binnen verschillende regimes. (We hebben daarvan al een aantal voorbeelden bekeken.) Het is niet mogelijk deze spanning te overwinnen, want waaraan moeten individuen zien te ontsnappen als de toewijding aan de groep is verdwenen? Wat voor trots kunnen zij ontlenen aan de ontsnapping van iets wat nooit weerstand heeft geboden? En wie zijn zij als zij er niet voor hoeven te worstelen om te worden wie zij zijn? De coëxistentie van sterke groepen en vrije individuen is – met al haar problemen – een blijvend aspect van moderniteit.

Postmoderniteit?

Mijn laatste tolerantiemodel wijst desalniettemin op een afwijkend patroon, wellicht zelfs op een postmodern project. In immigratielanden (en tegenwoordig ook in natiestaten die onder druk van immigratie zijn komen te staan) zijn mensen begonnen te ervaren wat we kunnen beschouwen als een leven zonder duidelijke grenzen en zonder veilige of eenduidige identiteiten. Differentie is zoals altijd gespreid, zodat men haar overal elke dag tegenkomt. Individuen weten aan de verwikkelingen van hun eigen gemeenschap te ontsnappen en vermengen zich vrijelijk met leden van de meerderheid, maar zij passen zich niet noodzakelijkerwijs aan een algemene identiteit aan. De aanspraak van groepen op hun leden is losser dan ooit tevoren het geval was, maar is evenmin opgeheven. Het gevolg is een permanente vermenging van ambigu geïdentificeerde individuen, gemengde huwelijken, en vandaar ook een uiterst intensief beleefd multiculturalisme dat niet alleen wordt geconcretiseerd in de maatschappij als geheel, maar ook in een groeiend aantal gezinnen, zelfs in een groeiend aantal individuen. Tolerantie begint nu thuis, waar we regelmatig etnische, godsdienstige en culturele vrede moeten zien te sluiten met onze echtgenoten, familieleden en kinderen, net als met ons eigen geïmporteerde of verdeelde zelf.

Dit soort tolerantie is vooral problematisch binnen de eerste generatie gemengde gezinnen en innerlijk verdeelde individuen, wanneer iedereen zich nog samenhangende gemeenschappen en een verenigd bewustzijn kan herinneren (en daar misschien ook nog naar verlangt). Fundamentalisme vertegenwoordigt dit verlangen in een ideologische vorm; zijn intolerantie concentreert zich, zoals ik al heb betoogd, niet zozeer op andere orthodoxieën alswel op seculiere verwarring en anarchie. Zelfs voor mensen die zich niet tot het fundamentalisme aangetrokken voelen, zal een indringende confrontatie met differentie storend werken. Want velen zijn nog steeds loyaal aan of in ieder geval nostalgisch over de groepen waarmee zij, hun ouders en hun grootouders (aan de ene kant of de andere) een historische band voelen.

Probeer eens enkele generaties verder langs de postmoderne weg te kijken, mannen en vrouwen die volledig zijn afgesneden van dit soort banden, die zelf hun eigen 'identiteit' bepalen aan de hand van de fragmentarische restanten van de oude culturen, godsdiensten en wat dies meer zij. De associaties die deze self-made, en zich nog steeds vormende, individuen kennen, zijn waarschijnlijk weinig meer dan tijdelijke allianties die gemakkelijk kunnen worden verbroken wanneer zich iets veelbelovenders aanbiedt. Zullen tolerantie en intolerantie in die situatie niet gewoonweg worden vervangen door een persoonlijke voorkeur of tegenzin? Zullen de oude openbare twisten en politieke conflicten over wie er wel, wie er niet en in welke mate getolereerd moet worden, niet worden vervangen door privé-melodrama's? Vanuit dit perspectief is het bijzonder moeilijk een toekomst voor te stellen voor welk tolerantieregime dan ook. We zullen, zo veronderstel ik, enigszins berustend, onverschillig, stoïcijns of enthousiast reageren op de eigenaardigheden en zwakheden van onze postmoderne metgezellen. Maar omdat deze metgezellen – deze anderen – niet in een herkenbaar verband naar voren treden, zullen onze reacties geen vast patroon kennen.

Het postmoderne project ondergraaft iedere gemeenschappelijke identiteit en elk standaardgedrag; het leidt tot een samenleving, waarin de persoonlijk voornaamwoorden voor het meervoud 'wij' en 'zij' (en zelfs de met elkaar verbonden voornaamwoorden 'wij' en 'ik') geen vaste betekenis hebben; het wijst op de uitgesproken perfectie van de individuele vrijheid. De Bulgaars-Franse auteur Julia Kristeva is een van de interessantere verdedigers van dit project; zij dringt erop aan dat wij een wereld vol vreemdelingen moeten erkennen ('want alleen het vreemd-zijn is universeel'). We moeten volgens haar de vreemdeling in onszelf erkennen. In toevoeging op een psychologisch argument, dat ik hier laat rusten, herformuleert zij een zeer oud moreel argument waar het volgende bijbelse bevel een vroege versie van is: 'Onderdruk de vreemdeling niet, want jullie waren zelf ooit vreemdelingen in Egypte.' Kristeva verandert het voornaamwoord, het gezegde en de geografie in het kader van een eigentijdse herhaling: Onderdruk de vreemdeling niet, want wij zijn allen vreemdelingen in dit onderhavige land. Het is ongetwijfeld en zeker gemakkelijker diversiteit te tolereren wanneer wij het andere ook in onszelf erkennen.[3]

Maar als iedereen een vreemdeling is, dan is uiteindelijk niemand een vreemde. Want we kunnen diversiteit niet herkennen tenzij we gelijkheid op intensieve wijze ervaren. Een verbond van vreemdelingen zal hooguit tijdelijk als groepering kunnen bestaan, slechts in oppositie tegenover een of andere bestaande gemeenschap. Als zo'n gemeenschap niet bestaat, zal er ook geen verbond zijn. Het is voorstelbaar dat staatsbeambten alle postmoderne vreemdelingen zullen 'tolereren'; het wetboek van strafrecht bakent dan de grenzen van de tolerantie af en niets anders is vereist. Maar de politiek van differentie, de doorlopende onderhandeling over groepsrelaties en individuele rechten, is dan wel effectief opgeheven.

Kristeva probeert een natiestaat te beschrijven die als het ware onderweg is naar deze situatie; zij gebruikt Frankrijk (in zoverre het voldoet aan de erfenis van de Verlichting) als voorbeeld van de 'optimale vertolking' hiervan, hetgeen haar tot een van die ideale immigranten maakt die meer patriottistische principes bezitten dan de meeste Fransen zelf. Frankrijk op zijn best, schrijft Kristeva, is een samenleving 'in transitie', waar nationale tradities nog steeds 'standvastig' zijn, maar individuen in ieder geval tot op zekere hoogte hun eigen identiteit kunnen bepalen en hun eigen sociale groeperingen kunnen vormen, 'eerder door luciditeit ingegeven dan door het lot bepaald'. En deze zelfbeschikking wijst op een 'nog onvoorziene', maar ongetwijfeld voorstelbare 'polyvalente gemeenschap... een wereld zonder vreemdelingen'. Aangezien dit ook zal neerkomen op een Frankrijk zonder Fransen, is Kristeva derhalve slechts tijdelijk een compatriot.[4]

Zelfs de meest ontwikkelde immigratielanden – waar zelfgemodelleerde individuen en geïndividualiseerde versies van cultuur en godsdienst nadrukkelijker aanwezig zijn dan in Frankrijk – zijn nog geen 'polyvalente gemeenschappen'. Wij behoren nog steeds tot die eerste generatie: wij leven niet permanent in een wereld vol vreemdelingen en evenmin treden wij elkaars vreemdheid slechts tegemoet als persoon tot persoon. In plaats daarvan ervaren wij differentie nog steeds collectief, in omstandigheden waar persoonlijke relaties moeten worden gesecondeerd door de politiek van tolerantie. Het is niet zo dat het postmoderne project gewoon het modernisme opvolgt, zoals in sommige synthetische geschiedschrijvingen over opvolgende historische periodes wordt beweerd. De een wordt boven op de ander gelegd, zonder dat de laatste hierdoor verdwijnt. Er bestaan nog steeds grenzen, maar deze vervagen door alle keren dat ze worden overgestoken. We weten nog steeds van onszelf dat wij dit of dat, zus of zo zijn, maar die kennis is onzeker, want we zijn ook dit én dat, zus én zo. Groepen met een duidelijke identiteit bestaan en handhaven zich politiek, maar de loyaliteit van hun leden wordt gemeten volgens maatstaven langs een breed continuüm, met steeds grotere aantallen geconcentreerd aan het verre uiteinde. (Daarom steken dezer dagen de militanten aan het korte uiteinde zo schril af.)

Dit dualisme van het moderne en het postmoderne vereist dat

differentie dubbel wordt geaccommodeerd: eerst in haar singuliere individuele en collectieve varianten en vervolgens in haar pluralistische, verspreide en verdeelde varianten. We moeten getolereerd en beschermd worden als staatsburgers en groepsleden, en ook als vreemdelingen ten opzichte van deze twee. Zelfbeschikking moet tegelijkertijd politiek en persoonlijk zijn; deze twee zijn verbonden, maar zijn niet hetzelfde. De oude opvatting over differentie, die individuen met hun autonome of soevereine groepen verbindt, zal op tegenstand stuiten van dissidente en ambivalente individuen. Maar elke nieuwe opvatting die alleen op deze dissidenten is geconcentreerd, zal verzet ontmoeten van mannen en vrouwen die nog steeds ermee worstelen een algemene godsdienstige of culturele traditie in zich op te nemen, uit te dragen, uit te werken, aan te passen en door te geven. Dus, althans voor dit moment, moet differentie tweemaal worden getolereerd – op een persoonlijk en op een politiek niveau – met iedere denkbare mix (het hoeft niet in beide gevallen dezelfde mix te zijn) van berusting, onverschilligheid, stoïcisme, nieuwsgierigheid of enthousiasme.

Ik weet echter niet zeker of deze twee versies van tolerantie moreel of politiek gelijkwaardig zijn. Het verdeelde zelfbewustzijn van de postmoderniteit lijkt parasitair te zijn ten opzichte van de ongedeelde groepen waaruit het is voortgekomen, die als het ware de culturele basis vormen van iedere zelfmodellering. Waarover zullen Kristeva's subjecten anders lucide kunnen zijn dan hun standvastige traditties? Hoe verder ze van die culturele basis afraken, des te minder ze hebben om mee te werken. Zal het postmoderne project, in ogenschouw genomen zonder zijn noodzakelijke historische achtergrond, niet alsmaar leeghoofdiger individuen en een radicaal ingekrompen cultureel leven opleveren? Het is misschien wel aanbevelenswaardig voor altijd te blijven leven met de problemen van wat ik de eerste generatie heb genoemd. We moeten de buitengewone vrijheid waarderen die wij als vreemdelingen – en als mogelijke vreemdelingen in eigentijdse samenlevingen 'in transitie' – kunnen genieten. Maar wij moeten tegelijk de regimes van tolerantie vormgeven op een manier die de verschillende groepen versterkt en misschien zelfs individuen aanmoedigt zich met een of meer van hen te identificeren. Moderniteit verlangt, zoals ik heb betoogd, een blijvende spanning tussen het individu en de groep, de burger en het groepslid. Postmoderniteit verlangt een zelfde blijvende spanning ten opzichte van moderniteit zelf: tussen burgers en groepsleden aan de ene kant en het verdeelde zelfbewustzijn, de culturele vreemdeling aan de andere kant. Radicale vrijheid is gebakken lucht tenzij het bestaat binnen een wereld die op betekenisvolle wijze weerstand biedt.

Maar als dat zo is, dan wordt mijn eerdere bewering dat tolerantie goed kan functioneren volgens iedere willekeurige attitude binnen het continuüm van berusting, onverschilligheid, stoïcisme, nieuwsgierigheid en enthousiasme, misschien al binnen afzienbare tijd gefalsifieerd. Alleen wanneer groepen zelfvoorzienend zijn, volstaan berusting, onverschilligheid of stoïcijnse berusting tegenover coëxistentie. Dat was dan ook de aanname van alle regimes: dat godsdienstige, nationale en etnische groepen eenvoudigweg bestaan, dat zij sterke loyaliteiten veronderstellen die op zijn minst moeten worden aangepast om plaats te maken voor patriottisme en een algemeen burgerschap. Maar als de groepen zwak en hulpbehoevend zijn (zoals ik zal betogen voor het Amerikaanse voorbeeld in de epiloog), is een mix van nieuwsgierigheid en enthousiasme noodzakelijk. Niets anders zal de hulp opwekken waaraan zij behoefte hebben. Vrije, versplinterde

individuen in democratische samenlevingen zullen die hulp
zelf niet bieden en hun regering geen toestemming verlenen
deze te geven, tenzij zij het belang van groepen inzien (hun
eigen groep en alle andere groepen) in de vorming van individuen als zijzelf; tenzij zij snappen dat het kernpunt van tolerantie niet is (en nooit was) 'wij' en 'zij' af te schaffen (en
zeker niet 'ik'), maar te zorgen voor hun blijvende vredige
coëxistentie en interactie.

Het verdeelde zelfbewustzijn van de postmoderne individuen
maakt die coëxistentie een stuk moeilijker, maar zij zijn er
ook van afhankelijk voor hun eigen schepping en zelfbegrip.

Epiloog

Overpeinzingen over het
Amerikaanse multiculturalisme

Vandaag de dag zijn er in de Verenigde Staten twee grote middelpuntvliedende krachten werkzaam. Een kracht breekt complete groepen mensen los van een verondersteld algemeen centrum; de andere doet individuen alle kanten opvliegen. Beide decentraliserende, separatistische bewegingen kennen hun critici die betogen dat de eerste kracht wordt gedreven door een enggeestig chauvinisme en de tweede door pure egocentriciteit. De afgescheiden groepen worden door deze critici omschreven als exclusieve, intolerantie stamverbanden; de afgescheiden individuen als ontwortelde, eenzame en onverdraagzame egoïsten. Deze visie lijkt niet geheel bezijden de waarheid, maar zij is evenmin honderd procent correct. De twee bewegingen moeten samen worden beschouwd, afgezet tegen de achtergrond van een immigratieland en een democratische politiek, die het samen mogelijk hebben gemaakt dat deze middelpuntvliedende krachten kunnen optreden. Binnen een bepaalde context lijken beide – ondanks alle natuurwetten – in mijn ogen elkaars remedie te zijn.
De eerste kracht komt neer op een steeds duidelijkere verwoording van groepsdifferentie. De verwoording zelf is vanzelfsprekend hierbij nieuw, want differentie – pluralisme,

multiculturalisme zo u wil – is op zich al van begin af aan een wezensaspect van de Amerikaanse samenleving. In een van de *Federalist Papers* (nummer 2 om precies te zijn) beschrijft John Jay de Amerikanen als een volk 'dat van dezelfde voorouders afstamt, dezelfde taal spreekt, dezelfde godsdienst beoefent, aan dezelfde beginselen van openbaar bestuur hecht, en dat zeer overeenkomstig is in zeden en gebruiken'. Deze opvatting klopte al niet meer toen Jay ze opschreef in de jaren tachtig van de achttiende eeuw en werd absoluut gefalsifieerd in de loop van de negentiende eeuw. Massa-immigratie maakte de Verenigde Staten tot een land met talloze verschillende voorouders, talen, godsdiensten, zeden en gebruiken. Politieke beginselen, grondregels over tolerantie: zij vormen ons enig stabiele en algemeen gedeelde engagement. Democratie en vrijheid bepalen de begrenzingen en leggen de grondregels vast voor het Amerikaanse pluralisme.

Het contrast dat ik in de typologie van de regimes heb ingevoerd, kan helpen grip te krijgen op het radicale karakter van dit pluralisme. Neem bijvoorbeeld de (relatieve) homogeniteit van natiestaten als Frankrijk, Nederland, Noorwegen, Duitsland, Japan en China. Daar deelt de grote meerderheid van burgers, ongeacht de bestaande regionale verschillen, een enkele etnische identiteit en wordt een gemeenschappelijk verleden gevierd. En richt dan de blik op de territoriaal bepaalde heterogeniteit van de oude multinationale rijken en vervolgens op de staten die hun hedendaagse erfgenaam zijn, zoals het voormalige Joegoslavië, het nieuwe Ethiopië, het nieuwe Rusland, Nigeria, Irak, India, enzovoort. Een aantal etnische en godsdienstige minderheden eist in die landen hun oude vaderland op (zelfs als de landsgrenzen altijd betwist worden). De Verenigde Staten stemmen met het ene noch met het andere voorbeeld overeen. Het land is lokaal noch nationaal homogeen te noemen. Het is overal heterogeen, kent een gespreide diversiteit en is voor niemand, behalve de overgebleven inheemse Amerikanen, ooit het land van hun voorouders geweest. Er bestaan natuurlijke lokale segregatiepatronen, vrijwillige en onvrijwillige; er zijn etnische buurten en wijken die niet terecht, maar wel evocatief 'getto's' worden genoemd. Maar geen enkele Amerikaanse groep, met als partiële en tijdelijke uitzondering de mormonen in Utah, heeft ooit een stabiele geografische dominantie weten te bereiken. Er bestaat geen Amerikaans Slovenië, Québec of Koerdistan. Zelfs binnen de meest beschermde omstandigheden worden Amerikanen dagelijks met differentie geconfronteerd.

En toch is de grootschalige en vurige verwoording van differentie in de Verenigde Staten een tamelijk recent fenomeen. Een lange geschiedenis van vooroordelen, onderwerping en angst werkte iedere publieke bevestiging tegen van de 'zeden en gewoonten' van minderheden en hielp aldus het radicale karakter van het Amerikaanse pluralisme te verhullen. Ik zal geen doekjes om die geschiedenis winden. In haar extreme vorm was zij uiterst wreedaardig, zoals de overwonnen inheemse Amerikanen en de getransporteerde zwarte slaven kunnen beamen; in haar centrum, met betrekking tot godsdienst en etniciteit in plaats van ras, was zij relatief goedaardig. Het immigratieland verwelkomde nieuwe immigranten of maakte in ieder geval plaats voor hen, tolereerde hun geloof en gebruiken met een voor de rest van de wereld exemplarisch gebrek aan onwil. Niettemin leerden al onze minderheden om zich stil te houden: tot voor kort was timiditeit kenmerkend voor het doen en laten van minderheden. Een compleet besef wat het inhoudt onder immigranten te leven, is slechts uiterst langzaam doorgedrongen.

Ik herinner mij bijvoorbeeld hoe in de jaren dertig en veertig van de twintigste eeuw elk teken van joodse assertiviteit – zelfs het opduiken van 'te veel' joodse namen onder de vertegenwoordigers van de New Deal-politiek van de Democratische Partij of onder vakbondsleiders en socialistische en communistische intellectuelen – in de joodse gemeenschap met aarzeling en vrees werd begroet. De ouderen van de gemeenschap riepen 'Sja!' Laat niets van je horen; trek geen aandacht; dring jezelf niet op; zeg niets provocerends. Dit was de manier waarop het advies van de profeet Jeremia twee millennia eerder aan de eerste joodse bannelingen van Babylon werd geherinterpreteerd, een woord van wijsheid dat sindsdien door tallozen is opgevolgd: 'Zoek de vrede voor de stad waarheen Ik u in ballingschap heb doen wegvoeren' (Jer. 29:7). Dat wil zeggen dat men loyaal moet zijn tegenover de heersende macht en niet zijn neus in de politiek van anderen moet steken. Joodse immigranten beschouwden zichzelf als bannelingen, gasten van de (echte) Amerikanen, ook lang nadat zij zelf Amerikaans staatsburger waren geworden.

Tegenwoordig is dit alles geschiedenis. De Verenigde Staten zijn in de jaren negentig van de twintigste eeuw sociaal doch niet economisch meer egalitair dan vijftig of zestig jaar geleden. Het contrast tussen sociale en economische gelijkheid is zeer belangrijk en ik zal daarop terugkomen; laat mij nu echter focussen op het sociale aspect. Niemand gebiedt ons nog om te zwijgen, niemand is geïntimideerd of stil. Oude raciale en godsdienstige identiteiten hebben een vooraanstaande plaats ingenomen in ons openbare leven; geslacht en seksuele voorkeur zijn aan de mix toegevoegd; en de huidige immigratiegolf vanuit Azië en Latijns Amerika leidt tot significante nieuwe verschillen tussen Amerikaanse staatsburgers en aanstaande staatsburgers. En dit alles wordt, zo lijkt het, altijd en overal tot uitdrukking gebracht. De stemmen weerklinken luid, de accenten zijn gevarieerd, maar het resultaat is niet harmonieus, zoals in het oude beeld van het pluralisme als een symfonie, waarbij iedere groep haar eigen instrument bespeelt (maar wie schreef de muziek?). Het resultaat is een snerpende disharmonie. Het lijkt allemaal erg veel op de talloze afwijkende meningen van de protestantse dissidenten aan het begin van de Reformatie, toen allerlei sekten zich steeds verder opsplitsten en allerlei profeten en nepfiguren om het luidst hun waarheid probeerden te verkondigen. Daarom staat tolerantie ook als politiek thema in het middelpunt van de belangstelling, wat tot uiting komt in luidruchtige discussies over politieke correctheid, tirades en schimpbrieven, multiculturele leerstof, eerste en tweede talen, immigratie, enzovoort.

In respons op deze kakofonie wrijft een andere groep profeten – liberale en neoconservatieve intellectuelen, academici en journalisten – zich in de handen en verzekert ons dat de natie uiteenvalt, dat ons trots verwoorde pluralisme gevaarlijk verdelend is en dat we nodig toe zijn aan de herbevestiging van de hegemonie van een eenduidige cultuur. Opvallend genoeg wordt deze verondersteld noodzakelijke, noodzakelijkerwijs eenduidige cultuur vaak omschreven als een hoogstaande cultuur, alsof het onze gedeelde bewondering voor Shakespeare, Dickens en James Joyce was die ons al deze jaren bij elkaar heeft gehouden. Die hoogstaande cultuur verdeelt ons natuurlijk evenzeer, zoals zij altijd al heeft gedaan, en altijd zal blijven doen in een land met zo'n sterke egalitaire en populistische inslag. Herinnert niemand zich Richard Hofstadters *Anti-Intellectualism in American Life?*[1] Politieke bewegingen die op eenheid gericht zijn, roepen eerder een populistisch en niet-authentiek nativisme op, waarvan de culturele bagage hoogstwaarschijnlijk tamelijk laag-bij-de-gronds is. Deze bewegingen spreken het literaire of filosofische canon niet aan. Maar er is een betere respons op het pluralisme, zo lijkt me: de democratische politiek zelf, waarvoor alle leden van alle groepen (in beginsel) gelijkwaardige burgers zijn, die niet alleen met elkaar in overleg moeten treden, maar ook op de een of andere manier tot een overeenkomst moeten zien te komen. Wat zij leren in de loop van de noodzakelijke onderhandelingen en door compromissen te sluiten is waarschijnlijk belangrijker dan elke willekeurige les die zij aan de bestudering van de canon kunnen ontlenen. Wij moeten erover nadenken hoe wij dit praktische, democratische leerproces kunnen stimuleren.

Maar is dit leerproces dan niet al aardig voortgeschreden, gegeven het feit dat multiculturele conflicten in de democratische arena plaatsvinden en dat van hun protagonisten wordt verlangd dat zij beschikken over een uitgebreide reeks van essentiële democratische vaardigheden en performances? Wie de geschiedenis van etnische, raciale en godsdienstige associaties in de Verenigde Staten bestudeert, ziet dat deze mijns inziens. keer op keer als vehikel hebben gediend voor de integratie van individuen en groepen, ondanks (of misschien juist door) de politieke conflicten die zij opriepen.[2] Zelfs als de doelstelling van associaties is differentie te ondersteunen, dan moet dat doel onder Amerikaanse voorwaarden worden bereikt; het resultaat is over het algemeen een nieuwe, onbedoelde soort differentiatie. Ik heb al een voorbeeld van dit fenomeen aangehaald: de differentiatie van de Amerikaanse katholieken en joden, niet zozeer ten opzichte van elkaar of van de protestantse meerderheid, maar ten opzichte van katholieken en joden in andere landen. Minderheidsgroepen passen zich aan de lokale politieke cultuur aan: zij worden Amerikanen 'tussen aanhalingstekens'. En of hun eerste doel nu zelfbehoud, tolerantie, burgerrechten of een plekje in de zon is, het resultaat van hun succes is altijd een veramerikanisering van de differentie die werd verdedigd.

Maar hetzelfde overkomt 'nativistische' of meerderheidsgroepen: ook zij zijn verplicht zich aan te passen aan een Amerika dat met vreemdelingen wordt gevuld. Hoewel zij zichzelf beschouwen als oorspronkelijke Amerikanen, worden ook zij geleidelijk aan, moeizaam 'geamerikaniseerd'. Ik bedoel hiermee niet te zeggen dat verschillen in alle stilte worden geaccepteerd of verdedigd. Zwijgzaamheid is niet bepaald een van onze politieke karaktertrekken; een Amerikaan worden komt vaak neer op een lesje jezelf rumoerig op de voorgrond weten te plaatsen. Evenmin is het succes waarnaar de ene groep streeft zonder meer uitwisselbaar met het succes van alle andere (of althans van een gedeelte van hen). De conflicten zijn reëel en zelfs overwinningen op kleine schaal kunnen algemeen bedreigend overkomen. Dit is een zwaarwegend punt: tolerantie maakt een eind aan vervolging en angstigheid, maar het is geen toverformule voor maatschappelijke harmonie. De pas getolereerde groepen zullen – in zoverre zij werkelijk verschillend zijn – vaak antagonistisch zijn en naar politiek voordeel streven.

Grotere problemen zijn echter te verwachten van achterstand en mislukking, in het bijzonder herhaalde mislukking. De zwakte van associaties, en de angst en wrok die deze zwakte oproept, drijft mensen op een gevaarlijke manier uit elkaar en brengt nieuwe vormen voort van intolerantie en dweperij, zoals in de vurigere en puriteinse vormen van 'politieke correctheid' en sommige vergezochte claims van de etnische en raciale mythologie. De luidruchtigste groepen in onze hedendaagse kakofonie, net als de groepen die extreme eisen stellen, zijn tevens het zwakst en het armst. Vandaag de dag vinden armen in Amerikaanse steden, vaak leden van minderheidsgroepen, het moeilijk om op coherente wijze samen te werken. Onderlinge steun, culturele overleving en zelfverdediging worden alom luidruchtig verkondigd, maar meestal slechts op armzalige wijze gerealiseerd. De hedendaagse armen hebben niet de beschikking over stevig gefundeerde of welvoorziene instellingen waar zij hun energie op kunnen richten of waarmee zij hun zwevende leden kunnen disciplineren. Zij zijn een maatschappelijk open en kwetsbare groep.

Wat de laatste decennia in de Verenigde Staten is gebeurd, is zowel onverwacht als verontrustend, maar ook – op een manier die ik zal moeten toelichten – bemoedigend. De economische kloof wordt alsmaar breder, ondanks het feit dat de sociale verschillen zijn afgenomen; de ongelijkheid in inkomen en hulpmiddelen is zonder twijfel groter dan een halve eeuw geleden. Maar dit heeft in de onderste regionen van de samenleving niet geleid tot een 'bijpassend' bewustzijn of een mentale reflectie over het eigen falen, tot berusting of deferentie. Er is geen diepgaande cultuur van meegaandheid ontstaan, er zijn geen groepen die moreel bereid zijn zich dociel en gelaten op te stellen, zoals de 'nette armen' van wat alweer zolang geleden lijkt. En als er wel zulke mensen zijn, zijn zij meer dan ooit tevoren onzichtbaar, zowel cultureel als politiek onmondig en niet-vertegenwoordigd. Wat we zien, biedt genoeg reden tot neerslachtigheid: een grote groep ontwortelde, machteloze en vaak gedemoraliseerde mannen en vrouwen voor wie het woord wordt gevoerd (en die geëxploiteerd worden) door een groeiend gezelschap van raciale en godsdienstige demagogen en opschepperige charismatici. Maar deze mensen zijn tenminste niet stil, verpletterd, gebroken, zodat men kan hopen dat in ieder geval enkelen onder hen beschikbaar zijn voor mobilisatie binnen een andere politieke omgeving.

De politieke omgeving is echter zoals zij is en biedt op de korte termijn amper hoop. Zwakte is het algemene, zij het ongelijke kenmerk van de associaties in het hedendaagse Amerika; ieder programma voor politieke vernieuwing moet van deze realiteit uitgaan. Vakbonden, kerken, belangengroepen, etnische organisaties, politieke partijen en sekten, instellingen voor zelfverbetering en goede werken, lokale filantropische organisaties, buurtclubs en coöperaties, godsdienstige congregaties, broederschappen en zusterverenigingen: de Amerikaanse burgermaatschappij is wonderbaarlijk veelzijdig. De meeste van deze organisaties zijn echter onbestendig van aard, worden krenterig gefinancierd en staan altijd onder druk. Zij hebben minder invloed en grip dan voorheen.[3] Het aantal Amerikanen die niet georganiseerd, inactief en onbeschermd zijn (al zijn ze wel boos en rumoerig), groeit nog steeds. Waarom is dit zo?

Het antwoord heeft deels te maken met de tweede middelpuntvliedende kracht die werkzaam is in de hedendaagse Amerikaanse samenleving. Dit land kent niet alleen een pluralisme van groepen, maar ook een pluralisme van individuen; zijn regime van tolerantie is, zoals we hebben gezien, eerder gefocust op persoonlijke keuzes en levensstijlen dan op gemeenschappelijke levenswijzen. De Amerikaanse samenleving is misschien wel de meest individualistische in de geschiedenis van de mensheid. Vergeleken met de mannen en vrouwen uit elk willekeurig land in de Oude Wereld, zijn wij allen reeds radicaal bevrijd. Wij zijn vrij om onze eigen koers uit te zetten; ons eigen leven te plannen; te kiezen voor een carrière, partner (of een reeks partners), godsdienst (of geen godsdienst), politiek (of antipolitiek), levensstijl (welke stijl dan ook): wij zijn vrij en wij kunnen alles doen waar wij zelf 'zin in hebben'. Persoonlijke vrijheid en de radicale vormen van tolerantie die daarmee samengaan, zijn zonder meer de uitzonderlijkste verworvenheden van de 'nieuwe orde der tijden', zoals die wordt omschreven op het Grootzegel van de Verenigde Staten. De verdediging van deze vrijheid tegen fatsoensrakkers en dwepers is een van de blijvende thema's in de Amerikaanse politiek en heeft ook haar glorierijkste momenten opgeleverd; de viering van deze vrijheid, van de individualiteit en de scheppingskracht die zij voortbrengt, is een van de blijvende thema's uit de Amerikaanse literatuur.

Niettemin is persoonlijke vrijheid geen onverdeeld genoegen, want veel Amerikanen ontbreekt het aan de middelen of de kracht om hun 'eigen dingen te doen' of zelfs om erachter te komen wat hun 'eigen dingen' zijn. Tot iets in staat zijn is eerder een kwestie van gezin of klasse en gemeenschappelijke prestaties dan een individuele aangelegenheid. Hulpmiddelen moeten coöperatief over verschillende generaties worden geaccumuleerd. En zonder die hulpmiddelen is het voor veel individuele mannen en vrouwen niet bepaald gemakkelijk economische dislokatie, natuurrampen, falende overheden en persoonlijke crises te overwinnen. Velen worden dag in dag uit geconfronteerd met de frustraties van persoonlijk falen. Zij kunnen niet terugvallen op de blijvende of reële steun van families of gemeenschappen. Vaak zijn zij op de vlucht voor familie, klasse of gemeenschap, op zoek naar een nieuw leven en een nieuwe identiteit in deze nieuwe wereld. Als hun ontsnappingspoging slaagt, kijken zij nooit terug; als ze terug moeten kijken, stuiten ze waarschijnlijk op de mensen die zij hebben moeten achterlaten, die nauwelijks in staat zijn zichzelf te onderhouden. Dit zijn de prikkels van het postmodernisme, maar vaak leiden deze tot een droevig verhaal of, beter, tot een reeks vergelijkbare, maar ongerelateerde droeve verhalen.

Overweeg een moment de culturele (etnische, raciale en godsdienstige) groepen die ons veronderstelde heftige en twee-
dracht zaaiende multiculturalisme vormen. Alle zijn het vrijwillige associaties met een harde kern van militanten, activisten en gelovigen, met daaromheen een wijde periferie van
passieve mannen en vrouwen die eigenlijk culturele 'profi-
teurs' zijn. Deze mensen maken aanspraak op een identiteit
(of meerdere identiteiten) waar zij geen geld, tijd of energie
willen insteken. Wanneer zij in moeilijkheden geraken, proberen ze hulp te krijgen van mannen en vrouwen met een gelijksoortige identiteit. Maar die hulp is onzeker, want hun
identiteit is onverdiend, zonder diepte. Ongebonden individuen zijn geen betrouwbare lidmaten. Er liggen geen grenzen
om onze culturele groepen heen en er is natuurlijk ook geen
grenspolitie voor. Het staat mannen en vrouwen vrij om wel
of niet te participeren als zij willen, om te komen en te gaan,
om zich geheel terug te trekken of om gewoon te verdwijnen
in de weidse periferie. Het staat ze vrij zich te vermengen en
op te gaan in diverse culturen, om alle grenzen te verkennen
en uitdagingen aan te gaan. Die vrijheid, nogmaals, is een van
de voordelen van een immigratieland; tegelijkertijd leidt zij
echter niet tot sterke of onderling samenhangende associaties. Uiteindelijk denk ik zelfs dat zij geen sterke of zelfbewus-
te individuen oplevert.

Het aantal mensen die zich van culturele associaties en de bij-
behorende identiteit losmaken voor het najagen van persoonlijk geluk (of voor een wanhopige zoektocht naar economische overleving), is tegenwoordig zo groot dat alle groepen
bezorgd zijn hoe de periferie vast te houden en hun eigen toekomst veilig te stellen. Zij proberen voortdurend nieuwe
fondsen aan te boren en nieuwe leden te werven; zij verdringen elkaar voor werkers, bondgenoten en steun; zij preken

over de gevaren van assimilatie, gemengde huwelijken, de teloorgang van oude gewoonten en over passiviteit. Aangezien zij zelf niet beschikken over middelen om dwang uit te oefenen en onzeker zijn over hun eigen overredingskracht, verlangen sommige groepen regeringsprogramma's (met doelgerichte rechten of quoteringssystemen) die hen moeten helpen hun eigen leden weer in het gareel te krijgen. Vanuit hun perspectief is het werkelijke alternatief voor multiculturele tolerantie niet een sterk en substantieel amerikanisme (alsof Amerika een staat uit de Oude Wereld was), maar een leeg of willekeurig ingevuld individualisme, een grootse, ongeorganiseerde beweging van menselijk wrakhout, wegdrijvend van elk creatief centrum.

Dit is wederom een eenzijdig perspectief op individuele vrijheid in een immigratieland, maar het slaat niet helemaal alle planken mis. Ondanks de schone schijn wordt het kritieke gevecht in het moderne Amerikaanse leven niet uitgevochten tussen multiculturalisme en een of andere culturele hegemonie of singulariteit, en ook niet tussen pluralisme en eenheid, of tussen de velen en de ene. We hebben in plaats daarvan te maken met het uitzonderlijke modernistische en postmodernistische conflict tussen de veelheid van groepen en de veelheid van individuen. En in dit conflict hebben we geen enkele andere keuze dan de waarde van beide kanten te bevestigen. De twee vormen van pluralisme maken Amerika tot wat het is (of soms is) en bepalen het patroon voor wat het zou moeten zijn. Samengenomen, maar dan ook alleen samen, zijn zij volledig consistent met een algemeen democratisch staatsburgerschap.

Neem bijvoorbeeld de toenemend gespleten individuen van het contemporaine Amerika. We moeten ons zonder meer zorgen maken over de processen die dissociatie veroorzaken of er het product van zijn (ook al zijn sommige ervan ook emancipatieprocessen):[4]

- het hoge aantal scheidingen, dat tot voor kort nog altijd toenam, maar nu enigszins afgevlakt lijkt;
- het nog altijd groeiende aantal kinderen die door één ouder (heel vaak een beangstigend jonge moeder) worden grootgebracht;
- de recente toename in het aantal verslagen over kindermisbruik en verwaarlozing;
- het groeiende aantal mensen die alleen leven (in wat statistisch wordt aangeduid als eenpersoonshuishoudens);
- de terugval in lidmaatschappen: van vakbonden; van de oudere, gevestigde kerken (terwijl evangelische kerken en sekten in opmars zijn); van filantropische instellingen, ouder-leraarorganisaties en buurtclubs;
- de langetermijnachteruitgang in verkiezingsopkomstcijfers en partijloyaliteit (wellicht het dramatisch tot uiting gekomen in lokale verkiezingen);
- de hoge geografische mobiliteit die de onderlinge samenhang in de buurt ondergraaft;
- de plotse verschijning van daklozen (m/v); en
- het toenemen van willekeurig geweld.

De klaarblijkelijke stabilisering van hoge werkeloosheidscijfers en het banentekort voor jongeren en minderheidsgroepen intensiveert al deze processen en verergert de gevolgen ervan. Werkeloosheid maakt familiebanden broos, snijdt mensen af van vakbonden en belangengroeperingen, put gemeenschapsreserves uit, leidt tot politieke vervreemding en passiviteit en verhoogt de aantrekkingskracht van criminaliteit. De oude zegswijze over ledigheid en het duivels oorkussen behoeft niet per se op waarheid te berusten, maar komt wel uit wanneer

duimendraaien een omstandigheid is die niemand vrijelijk
verkiest.

Ik ben geneigd te denken dat deze processen door de bank genomen verontrustender zijn dan de multiculturele kakofonie,
al was slechts omdat in een democratische samenleving actie
over het algemeen beter is dan passiviteit en eenzaamheid.
Tumult is beter dan passiviteit en gedeelde doeleinden (zelfs
wanneer we het er niet mee eens zijn) zijn beter dan individuele futloosheid. Het lijkt bovendien waar te zijn dat veel gespleten individuen open staan voor extreem-rechtse, ultra-na-
tionalistische, fundamentalistische of xenofobische mobilisaties die democratieën het beste uit de weg kunnen gaan indien
dat mogelijk is. Er zijn vandaag de dag natuurlijk auteurs die
beweren dat multiculturalisme zelf het product is van dergelijke mobilisaties: volgens hun visie staat de Amerikaanse samenleving niet alleen op het punt om uiteen te vallen, maar
verkeert Amerika ook nog eens aan de vooravond van een
'Bosnische' burgeroorlog.[5] We hebben tot dusver eigenlijk alleen te stellen gehad met hints naar een openlijk chauvinistische en racistische politiek. Er zijn meer Amerikanen bij rare
godsdienstige sekten betrokken dan bij extreem-rechtse politieke groepen (al vallen beide in sommige gevallen wel
samen). We bevinden ons op een punt waar we nog steeds het
pluralisme van groepen veilig kunnen aanwenden voor de
redding van het pluralisme van gespleten individuen.

Individuen zijn sterker, hebben meer zelfvertrouwen en ge-
zond verstand wanneer zij deelnemen aan een gemeenschappelijk leven, wanneer zij verantwoordelijk zijn voor en ver-
antwoording moeten afleggen aan andere mensen. Ongetwijfeld gaat deze relatie niet op voor elk gemeenschappelijk
leven; ik geef hier geen aanbeveling voor rare godsdienstcul-
ten, maar zelfs die moeten worden getolereerd binnen de

grenzen die onze ideeën over burgerschap en individuele rechten hebben bepaald. Misschien worden mannen en vrouwen die aan zulke groepen hebben deelgenomen, gesterkt door deze ervaring en zijn zij zo 'opgevoed' voor een bescheidener gemeenschappelijkheid. Want het is alleen in de context van activiteiten binnen associaties dat individuen leren te delibereren, argumenteren, beslissen en verantwoordelijkheid te aanvaarden. Dit is een oud argument, het eerst geformuleerd ten gunste van protestantse congregaties en conventikels die, zo werd ons geleerd, hebben gediend als scholen voor de democratie in het negentiende-eeuwse Groot-Brittannië, in weerwil van de intensieve, exclusieve verbonden die zij schiepen en hun herhaaldelijk geuite twijfels over de verlossing van ongelovigen.[6] Individuen werden inderdaad door hun lidmaatschap van congregaties gered – gered van isolatie, eenzaamheid, minderwaardigheidsgevoelens, aangeleerde inactiviteit, incompetentie en een soort moreel vacuüm – en tot nuttige burgers gemaakt. Het is natuurlijk evenzeer waar dat Groot-Brittannië werd gered van protestantse onderdrukking door het sterke individualisme van diezelfde nuttige burgers; dat maakte een groot deel van hun nut uit.

Maar geen enkel regime van tolerantie kan uitsluitend op dergelijke 'sterke' individuen worden gebouwd, want zij zijn het product van het groepsleven en zij zullen niet uit zichzelf de verbintenissen in het leven roepen die hun eigen kracht mogelijk hebben gemaakt. We moeten daarom de banden tussen associaties ondersteunen en versterken, zelfs wanneer deze banden ons met enkele anderen verbinden en niet iedereen met alle anderen. Er zijn veel manieren om dit te doen. Allereerst is er de overheidspolitiek waardoor banen kunnen worden gecreëerd en het lidmaatschap van vakbonden kan worden gestimuleerd. Wereloosheid is immers waarschijnlijk de gevaarlijkste vorm van dissociatie en vakbonden zijn niet alleen een leerschool voor democratische politiek, maar ook een instrument voor 'compenserende krachten' in de economie en voor lokale solidariteit en wederzijdse steun.[7] Welhaast even belangrijk zijn programma's die het gezinsleven sterker maken, niet alleen in zijn conventionele doch ook in zijn onconventionele varianten, in iedere variant die stabiele relaties en ondersteuningsnetwerken oplevert.

Maar ik wil wederom de aandacht richten op culturele associaties, want deze worden tegenwoordig als uiterst bedreigend ervaren. Het is de zwakte van deze associaties, niet hun kracht mijns inziens., die ons gemeenschappelijk leven bedreigt. Een reden voor de achteruitgang van vakbonden in het contemporaine Amerika is de feitelijke verdwijning van een afzonderlijke arbeiderscultuur of, beter gezegd, van een reeks arbeidersculturen (Iers, Italiaans, Slavisch, Scandinavisch, enzovoort), die eind negentiende, begin twintigste eeuw het radicalisme van de arbeiderspartijen mogelijk maakte. Willen ze voor lange tijd kunnen samenwerken, dan hebben mannen en vrouwen behoefte aan banden die samenhangen met taal en geheugen, met familierituelen voor celebratie en rouw, met gemeenschappelijke gebruiken, zelfs met gemeenschappelijke spelen en liedjes. De civiele religie biedt sommige banden aan voor alle burgers tezamen, maar de vitaliteit en discipline van een immigratieland hangt af van de meer intensieve connecties die worden gevormd door de groepen waaruit zij bestaat. Daarom hebben we meer, en niet minder, culturele associaties nodig, meer krachtige, onderling samenhangende associaties met een groter bereik aan verantwoordelijkheden.

Dergelijke associaties vormen in immigratielanden niet het object van tolerantie, maar zij kunnen wel tot object – of nog beter tot doeleinde – van de overheidspolitiek worden gemaakt. Denk bijvoorbeeld aan de bestaande reeks van federatieve programma's – met inbegrip van belastingvrijstellingen, toelagen evenredig met publieke bijdragen, subsidies, enzovoort – die godsdienstige gemeenschappen in staat stellen hun eigen ziekenhuizen, bejaardenhuizen, scholen, dagverzorgingscentra en gezinsvoorzieningen te runnen. Dit zijn welzijnsinstellingen binnen een gedecentraliseerde (en nog niet voltooide) Amerikaanse verzorgingsstaat. Belastinggeld wordt gebruikt om charitatieve bijdragen te ondersteunen op manieren die de patronen versterken van wederzijdse bijstand en culturele reproductie, patronen die spontaan binnen de samenleving ontstaan. Maar deze patronen moeten op grootschalige wijze verder worden verbreid, omdat de dekking op dit moment bijzonder ongelijkwaardig is verdeeld. En meer groepen – zowel raciaal, etnisch als godsdienstig – moeten betrokken worden bij verzorgingskwesties en aanverwante zaken. (En waarom zou dit niet ook gelden voor vakbonden, coöperaties en corporaties?)

We moeten ook andere programma's zien te vinden waardoor de overheid indirect kan optreden om burgers te ondersteunen die persoonlijk in lokale gemeenschappen actief zijn; te denken valt onder meer aan 'concessie'-scholen die zijn ontworpen en worden gerund door leraren en ouders; self-management voor huurders en coöperatieve opkoping in de openbare huisvesting; experimenten in eigendomsrecht van arbeiders en hun controle over fabrieken en bedrijven; lokaal geïnitieerde bouwprojecten; schoonmaak- en misdaadpreventieprogramma's; musea, jongerencentra, radiozenders en sportbonden op gemeenschappelijke basis, enzovoort. Dit soort programma's zullen vaak bekrompen gemeenschappen scheppen of versterken, ze zullen conflicten oproepen over de verdeling van het overheidsbudget, evenals lokale worstelingen over politieke manoeuvreerruimte en de controle over institutionele functies. Onthoud, tolerantie is niet een toverformule voor harmonie; het legitimeert vroeger onderdrukte of onzichtbare groepen en stelt hen in staat te strijden voor de beschikbare middelen. Maar de aanwezigheid van deze groepen zal ook de politieke manoeuvreerruimte verruimen en het aantal en de reikwijdte van institutionele functies vergroten, en aldus de kansen op individuele participatie. En participerende individuen, met een groeiend besef van hun eigen effectiviteit, zijn onze beste bescherming tegen de bekrompenheid en intolerantie van de groepen waarin zij participeren.

Betrokken mannen en vrouwen neigen ertoe op velerlei vlak geëngageerd te zijn, actief te zijn in veel verschillende associaties op lokaal en nationaal niveau. Dit is een van de meest algemene bevindingen van politicologen en sociologen (en een van de verrassendste: waar halen deze mensen alle tijd vandaan?).[8] Het helpt te verklaren hoe betrokkenheid of engagement ertoe bijdraagt racistische of chauvinistische politieke toewijding en ideologieën te ondergraven in een pluralistische samenleving. Dezelfde mensen verschijnen op vakbondsbijeenkomsten, bij buurtprojecten, politieke stemmenwerving, kerkcomités en – uiterst betrouwbaar – in het stemhokje op verkiezingsdag. Zij zijn, althans de meesten, niet op hun mondje gevallen, eigenwijs, vaardig, zelfverzekerd en tamelijk standvastig in hun toewijding. De een of andere mysterieuze combinatie van verantwoordelijkheid, ambitie en bemoeizucht drijft hen van de ene bijeenkomst naar de volgende. Iedereen klaagt (ik bedoel dat zij allemaal klagen) dat er zo weinig van hen zijn. Is hun geringe aantal een onvermijdelijk gegeven van het sociale leven, zodat in geval van een uitbreiding van het aantal associaties de spoeling alleen maar dunner wordt? Ik vermoed dat 'vraag-en-aanbod-economen' een beter verhaal kunnen vertellen over dit 'menselijk kapitaal': vermenigvuldig de vraag naar competente mensen en zij zullen tevoorschijn komen. Vermenigvuldig de mogelijkheden voor actie in het algemeen en activisten zullen van alle kanten opduiken om hun kansen te grijpen. Sommigen zullen ongetwijfeld enggeestig en dweperig zijn, in weinig anders geïnteresseerd dan de vooruitgang van hun eigen groep, maar hoe groter hun aantallen en hoe verscheidener hun activiteiten, des te onwaarschijnlijker is het dat bekrompenheid en fanatisme zullen overheersen.

Een bepaald soort schrilheid is een aspect van wat we wellicht op een dag zullen erkennen als *vroeg* multiculturalisme; dit is vooral duidelijk merkbaar onder de nieuwste en zwakste, de armste en minst georganiseerde groepen, bij wie economische deprivatie hand in hand gaat met een minderheidsstatus oftewel voor wie klasse niet volledig, maar wel grotendeels aan ras en cultuur is gerelateerd. Deze schrilheid is het product van een historische periode waarin de sociale gelijkheid die werd beloofd (en deels is gerealiseerd) door ons regime van tolerantie gestaag werd ondergraven door economische ongelijkheid.

Sterkere organisaties, die in staat zijn hulpmiddelen bijeen te brengen en reële voordelen voor hun leden te realiseren, zullen deze groepen geleidelijk voortbewegen in de richting van wederzijdse tolerantie en een democratische politiek van inclusiviteit. Ongetwijfeld bestaat er een spanning tussen groepsleden en staatsburgers, tussen particuliere belangen en het algemeen belang, maar er bestaat ook een reële onderlinge continuïteit. Burgers die het algemeen belang zijn toegedaan, komen niet zomaar uit het niets tevoorschijn. Zij zijn lid van groepen die vinden dat zij een belang in het land als geheel hebben; ten eerste in het regime van tolerantie zelf en vervolgens in de bredere politiek van het regime. En daarom streven zij naar participatie in de nationale besluitvorming. Onthoud dat dit al eerder is voorgevallen in de loop van het conflict tussen etnische groepen en klassen. Wanneer groepen consolideren, behoudt het centrum de periferie en verandert deze in een politieke achterban. Vakbondsmilitanten beginnen bijvoorbeeld op de stakingsvloer of in het stakingscomité en schuiven door naar het schoolbestuur en de gemeenteraad; godsdienstige en etnische activisten beginnen met het verdedigen van hun eigen gemeenschap en komen uiteindelijk terecht in politieke coalities, strijdend voor een 'evenwichtige' verdeling en (op zijn minst) discussiërend over het algemeen belang. De onderlinge samenhang van een groep versterkt haar leden en de ambitie en mobiliteit van de meest geïnspireerde leden bevrijdt de groep.

Sommige groepsleden zullen ontvluchten aan hun eigen groep, lid worden van andere groepen of ingewikkelde, multiculturele carrières beginnen. Zij zullen de mogelijkheden van dissociatie en vermenging aangrijpen. Zij zullen handelen als radicaal vrije individuen en hun eigen materiële of spirituele belangen najagen. Maar als zij optreden tegen een achtergrond van groepskracht, zullen zij ook fungeren als instrument voor culturele innovatie en wederzijdse kennisoverdracht. Postmoderne vagebonden die samenleven met burgers en groepsleden in plaats van hen te vervangen, zullen zich nooit op eindeloze, zelfvoldane monologen met zichzelf hoeven te betrappen; zij zullen deelnemers zijn aan interessante dialogen.

Deze gesprekken moeten overal plaatsvinden, maar in het bijzonder in de openbare scholen (en in openbare en bijzondere hogescholen en universiteiten) die historisch gekenmerkt zijn

– althans in de grote immigratiecentra – door een integrerende modus van associatie. Openbare scholen brengen de kinderen samen van ouders die aan verschillende godsdienstige
en etnische gemeenschappen zijn toegewijd, evenals de kinderen van ouders die zijn ontsnapt of bezig zijn te ontsnappen
aan een dergelijke betrokkenheid. Deze scholen, die verondersteld worden neutraal te zijn met betrekking tot de gemeenschappen en hun ontsnapte leden, zouden een sympathi-
serend verslag moeten geven over de geschiedenis en filosofie
van ons eigen regime van tolerantie dat nauwelijks zijn eigen
bijzondere (Engels-protestantse) oorsprong kan omzeilen. De
scholen moeten de Amerikaanse civiele religie onderwijzen en
ernaar streven Amerikaanse staatsburgers voort te brengen,
ook al zullen zij daarvoor onvermijdelijk de culturele gemeenschappen moeten trotseren voor wie dit soort staatsburgerschap geen gemeengoed is.

Moeten openbare scholen nog meer doen dan dit? Moeten zij
kinderen helpen te ontsnappen aan dergelijke gemeenschappen en hen op eigen houtje door de wereld van verschillende
culturen laten rondzwerven? Moeten zij zich erop richten nog
meer vagebonden voort te brengen? Het is zonder meer ver-
leidelijk het democratisch onderwijs te beschouwen als een
training in kritisch nadenken, zodat de leerlingen op onafhankelijke, bij voorkeur sceptische wijze alle gevestigde ge-
loofssystemen en culturele gebruiken kunnen evalueren; zijn
critici immers niet de beste burgers?[9] Misschien wel; we kunnen in elk geval meer critici gebruiken. En toch zijn zij misschien niet de meest tolerante medeburgers; misschien staan
zij niet berustend of onverschillig genoeg tegenover de bekrompen loyaliteiten van hun metgezellen, laat staan dat zij
die stoïcijns accepteren. De democratie heeft behoefte aan
critici die de deugd tolerantie bezitten, wat waarschijnlijk in-

houdt dat zij hun eigen loyaliteiten hebben en bovendien een notie over de waarde van het bestaan van associaties. De scholen kunnen aan deze laatste behoefte tegemoetkomen door eenvoudigweg de pluraliteit van culturen te erkennen en door het een en ander te onderwijzen over de verschillende groepen (zelfs onkritisch: de ervaring van differentie bemoedigt vanzelf een kritische uitwisseling). Want het staatssysteem moet ook een tweede doelstelling aannemen, die volstrekt uitwisselbaar is met de eerste, namelijk 'staatsburgers' te produceren, dat wil zeggen mannen en vrouwen die bereid zijn tolerantie binnen hun verschillende gemeenschappen te verdedigen, terwijl zij die verschillen blijven waarderen en reproduceren (en opnieuw overdenken en aanpassen).

Het is niet mijn bedoeling te klinken als de beroemde Pollyanna. Deze uitkomsten worden niet door toeval gerealiseerd; misschien zullen ze zelfs helemaal niet worden gerealiseerd. Alles is tegenwoordig een stuk moeilijker; het gezin, de klassen en de gemeenschap zijn minder onderling samenhangend dan vroeger; de overheid en filantropische instellingen beschikken over minder middelen; het straatleven met zijn criminaliteit en drugs is een stuk angstaanjagender; individuele mannen en vrouwen lijken veel meer losgeslagen. Er is daarenboven nog een probleem, een probleem dat we echter moeten verwelkomen. Vroeger lukten het georganiseerde groepen in de Amerikaanse hoofdstroom te worden opgenomen door andere groepen (en de zwaksten onder hun eigen leden) achter te laten. En de mannen en vrouwen die werden achtergelaten, aanvaardden over het algemeen hun lot gelaten of slaagden in ieder geval er niet in veel ophef erover te maken. Vandaag de dag ligt de grens voor berusting, zoals ik al heb besproken, veel lager en hoewel veel van het gehoorde rumoer onsamenhangend en zinloos is, leidt het wel ertoe dat wij

allen eraan worden herinnerd dat er een uitgebreider programma is dan alleen dat van ons eigen maatschappelijk succes. Multiculturalisme als ideologie is een programma gericht
op grotere sociale en economische gelijkheid. Geen enkel tolerantieregime kan lang in een pluralistische, moderne en
postmoderne immigrantensamenleving operationeel zijn zonder een combinatie van deze twee: een verdediging van
groepsverschillen en een aanval op klassenverschillen.

Als we verlangen dat de wederzijdse versterking van gemeenschappelijkheid en individualiteit een algemeen belang dient,
zullen we politiek moeten optreden om ze effectief te maken.
Ze vereisen een zekere achtergrond, een richtinggevend
kader, mogelijk gemaakt door ingrijpen van de overheid. Het
leven in een groep zal individuele mannen en vrouwen niet
behoeden voor dissociatie en passiviteit, tenzij er een politieke strategie bestaat voor het mobiliseren, organiseren en indien noodzakelijk subsidiëren van de juiste soort groepen. En
koppige individuen zullen hun toezeggingen niet diversifiëren
en hun ambities niet uitbreiden, tenzij er voor hen mogelijkheden zijn – banen, functies en verantwoordelijkheden – in de
buitenwereld. De middelpuntvliedende krachten van cultuur
en individualiteit corrigeren elkaar alleen wanneer die correc-
tie gepland wordt. Het is noodzakelijk dat wij ons richten op
een evenwicht tussen beide krachten. Dit houdt in dat wij
nooit consequente verdedigers van het multiculturalisme of
het individualisme kunnen zijn; wij kunnen nooit zomaar
voorstander van een communistische gemeenschap of het liberalisme zijn, modernisten of postmodernisten zijn. We zullen dan weer het een en dan weer het ander moeten zijn, afhankelijk van wat het evenwicht van ons verlangt. Het lijkt
me dat de beste benaming voor dit evenwicht – de politieke
geloofsbelijdenis die het raamwerk beschermt, het noodzake-

lijke overheidsingrijpen ondersteunt, en zo de moderne regimes van tolerantie instandhoudt – sociaal-democratie is. Als het multiculturalisme vandaag de dag meer problemen oplevert dan dat het hoop geeft, komt dat gedeeltelijk door de zwakte van de sociaal-democratie (in de Verenigde Staten het progressief liberalisme). Maar dat is een ander, langer verhaal.

Noten

Inleiding: Hoe te schrijven over tolerantie

1. Over deze benadering heb ik kritisch geschreven in 'A Critique of Philosophical Conversation' in Michael Kelly ed. *Hermeneutics and Critical Theory in Ethics and Politics* (Cambridge, Mass., MIT Press, 1990), blz. 182-96. Vergelijk in hetzelfde boek Georgia Warnke's 'Reply', blz. 197-203, dat een gedeeltelijke verdediging vormt van de theorie van Jürgen Habermas.

2. Thomas Scanlon legt uit waarom dit soort uitspraken van belang zijn in: 'Contractualism and Utilitarianism' in Amartya Sen en Bernard Williams, eds., *Utilitarianism and Beyond* (Cambridge University Press, 1982), met name blz. 116.

3. Stuart Hampshire, *Morality and Conflict* (Cambridge, Mass., Harvard University Press, 1983), blz. 146-48.

4. Het kan nuttig zijn indien ik nu reeds enkele bijdragen noem aan dit debat, die hebben aangezet tot mijn eigen redenering: John Highham, *Strangers in the Land: Patterns of American Nativism 1860-1925*, 2d ed. (New Brunswick, N.J., Rutgers University Press, 1988); Orlando Patterson, *Ethnic Chauvinism: The Reactionary Impulse* (New York, Stein and Day, 1977); Stephen Steinberg, *The Ethnic Myth: Race, Ethnicity, and Class in*

America (Boston, Beacon, 1981); Arthur M. Schlesinger, Jr., *The Disuniting of America* (New York, Basic Books, 1995); en Charles Taylor, *Multiculturalism and 'the Politics of Recognition'* (Princeton, N.J., Princeton University Press, 1994). Taylor is een geestverwant en zijn verdediging van 'grote diversiteit' in Canada heeft een centrale rol gespeeld in mijn eigen denken over de Verenigde Staten.

Hoofdstuk 1:
Persoonlijke houdingen en politieke regelingen

1. Joseph Raz, 'Multiculturalism: A Liberal Perspective', in *Dissent* (Winter 1994): 67-79.
2. Deze uitputting, net als de doordachte overwegingen die eruit voortvloeien, wordt het best weergeven in de Franse *politiques* van de zestiende eeuw: zie het korte verslag in Quentin Skinner, *The Foundations of Modern Political Thought*, deel 2: *The Age of Reformation* (Cambridge, Cambridge University Press, 1978), blz. 249-54.
3. Veel filosofen zouden tolerantie alleen tot deze houding beperken, een visie die correspondeert met sommige toepassingen van het woord en een bepaalde weerzin weergeeft die gewoonlijk wordt toegeschreven aan de uitoefening van tolerantie. Maar deze interpretatie mist volledig het enthousiasme van een groot aantal van de allereerste verdedigers van tolerantie. Zie David Heyd, ed., *Toleration: An Elusive Virtue* (Princeton, N.J., Princeton University Press, 1996), met name Heyds inleiding en het openings-essay van Bernard Williams.
4. Voor een historisch verslag dat alle deze houdingen beschrijft, zie Wilbur K. Jordan, *The Development of Reli-*

gious Toleration in England, 4 delen (Cambridge, Cambridge University Press, 1932-40).

Hoofdstuk 2:
Vijf regimes van tolerantie

1. De oudste voorbeelden van de academische discipline die bekend zou raken als antropologie, zijn de werken van ambtenaren van het rijk: denk bijvoorbeeld aan de carrière en de geschriften van de Romeinse provinciebestuurder Tacitus, zoals beschreven door Moses Hadas in zijn inleiding van *The Complete Works of Tacitus* (New York, Modern Library, 1942).

2. In feite werd het imperiale kosmopolitisme gereproduceerd in veel kleinere steden, regionale centra zoals Ruschuk (Ruse), de Donau-havenstad in Bulgarij waar Elias Canetti opgroeide. Onder het Ottomaanse bewind werd Ruschuk een multiculturele stad waar Bulgaren, joden, Grieken, Albaniërs, Armeniërs en zigeuners leefden. Ook Elias Canetti heeft dit in verschillende werken beschreven.

3. Ik vertrouw hier voornamelijk op P.M. Fraser, *Ptolemaic Alexandria*, 3 delen (Oxford, Oxford University Press, 1972), met name deel 1, hoofdstuk 2, en Victor Tcherikover, *Hellenistic Civilization and the Jews*, vertaling S. Applebaum (New York, Atheneum, 1979), met name deel 2, hoofdstuk 2.

4. Zie Benjamin Braude en Bernard Lewis, eds., *Christians and Jews in the Ottoman Empire: The Functioning of a Plural Society*, deel 1: *The Central Lands* (New York, Holmes and Meier, 1982) voor het historische verhaal en Will Kymlicka, 'Two Models of Pluralism and Tolera-

tion', in *Toleration: An Elusive Virtue*, blz. 81-105, voor een theoretisch verslag over het *milletler*-systeem als 'een nuttige herinnering dat individuele rechten niet de enige manier zijn om tegemoet te komen aan religieus pluralisme'.

5. Over de afbakening van deze beperkingen, zie mijn debat met David Luban in Charles Beitz, Marshall Cohen, Thomas Scanlon en A. John Simmons, eds. *International Ethics* (Princeton, N.J., Princeton University Press, 1985), blz. 165-243.

6. Deze voorbeelden van intolerantie zonder benutting van gewapende interventie werden mij gesuggereerd door John Rawls.

7. Zie Arend Lijphart, *Democracy in Plural Societies: A Comparative Exploration* (New Haven, Yale University Press, 1977).

8. Wat betreft Duitse joden, een prototypische minderheid, zie H.I. Bach, *The German Jew: A Synthesis of Judaism and Western Civilization, 1730-1930* (Oxford, Oxford University Press, 1984) en Donald L. Niewyk, *The Jews in Weimar Germany* (Baton Rouge, Louisiana State University Press, 1980).

9. Dit is het argument van Will Kymlicka in zijn *Multicultural Citizenship* (New York, Oxford University Press, 1995), die dit specifiek toepast op minderheden die zijn veroverd, zoals de autochtone bevolkingsgroepen in de Nieuwe Wereld. In principe is het van toepassing op iedere traditionele minderheidsgroepering met een territoriale basis, maar niet op immigrantengroepen; in het volgende hoofdstuk zal ik dat uitleggen, waarbij ik Kymlicka volg.

10. Zowel dit als het vorige citaat komen uit Patrick Thorn-

berry, *International Law and the Rights of Minorities* (Oxford, Oxford University Press, 1991); zie zijn discussie over de verdragen, blz. 132-37.

11. In dit geval vertrouw ik op de Verenigde Staten als mijn belangrijkste voorbeeld en op John Higham als mijn belangrijkste leidraad over de politiek van de Amerikaanse immigratie: zie *Strangers in the Land* en ook *Send These to Me: Jews and Other Immigrants in Urban America* (New York:, Atheneum, 1975). Ik heb me ook gebaseerd op de artikelen en essays in Stephan Thernstrom, ed., *Harvard Encyclopedia of American Ethnic Groups* (Cambridge, Mass., Harvard University Press, 1980), net als op mijn eigen geschrift over het Amerikaans pluralisme, *What It Means to Be an American* (New York, Marsilio, 1992) en uiteraard op mijn eigen ervaringen met dat pluralisme.

12. Deze voorbeelden heb ik te danken aan Clifford Geertz.

Hoofdstuk 3:
Gecompliceerde gevallen

1. Zie William Rogers Brubaker, ed. *Immigration and the Politics of Citizenship in Europe and North America* (Lanham, Md., University Press of America [voor het German Marshall Fund], 1989), blz. 7.

2. Het werkelijke verhaal is veel gecompliceerder dan deze korte samenvatting suggereert. Rogers Brubaker in zijn *Citizenship and Nationhood in France and Germany* (Cambridge, Mass., Harvard University Press, 1992) geeft een uitmuntend verslag.

3. Voor een analyse van het debat, zie Gary Kates, 'Jews into Frenchmen: Nationality and Representation in Re-

volutionary France', *Social Research* 56 (lente 1989): 229.

4. Jean-Paul Sartre, *Anti-Semite and Jew*, vertaling George J. Becker, voorwoord van Michael Walzer (New York, Schocken, 1995), blz. 56-57.

5. Maar het woord *francisation* komt voor in de huidige discussies in en over Québec.

6. Voor een bruikbaar verslag over enkele van deze spanningen, zie Dan Horowitz en Moshe Lissak, *Trouble in Utopia: The Overburdened Polity of Israel* (Albany, State University of New York Press, 1989).

7. Alex Weingod, 'Palestinian Israelis?' in *Dissent* (zomer 1996): 108-10.

8. James Tully, *Strange Multiplicity: Constitutionalism in an Age of Diversity* (Cambridge, Cambridge University Press, 1995), blz. 146-46. Tully geeft zowel een uitmuntend relaas over de dilemma's betreffende tolerantie in Canada als een sterke verdediging van de rechten van de Québecois, en met name de rechten van de autochtonen. Voor een bruikbare liberale kanttekening die dichter bij mijn visie staat, zie Kymlicka, *Multicultural Citizenship*.

9. Zie Charles Taylors verzamelde essays over de Canadese etnische politiek: *Reconciling the Solitudes: Essays on Canadian Federalism and Nationalism*, ed. Guy Laforest (Montreal, McGill-Queens University Press, 1993).

10. Martin Holland, *European Integration: From Community to Union* (Londen, Pinter Publishers, 1994), blz. 156. Zie ook de discussie over 'nieuwe sociale rechten in Europa' in Maurice Roche, *Rethinking Citizenship: Welfare, Ideology and Change in Modern Society* (Cambridge, Polity Press, 1992), hoofdstuk 8.

Hoofdstuk 4:
Praktische thema's

1. Vergelijk Stephen L. Carter, *The Culture of Disbelief* (New York, Basic Books, 1993), blz. 96: 'De taal van de tolerantie is de taal van de macht'.
2. Zie Ralph Ellisons klassieke novelle, *Invisible Man* (New York, Random House, 1952).
3. Voor lezers is het wellicht zinvol een 'case study' buiten mijn overzicht van vergelijkingen te bekijken: Marc Galanters *Competing Equalities: Law and the Backward Classes in India* (Berkeley, University of California Press, 1984). De Indiase versie van 'positieve discriminatie' was speciaal ontworpen om een zeer oud regime van stigmatisering en intolerantie te overwinnen. Galanter betoogt dat de inspanning dit te doen door de creatie van een klasse van staatsbeambten uit de 'onaanraakbaren', India op zijn minst een eerste stap op weg heeft geholpen naar dit doel.
4. Sir Percival Griffiths, *The British Impact on India* (Londen, MacDonald, 1952), blz. 222, blz. 224.
5. Ik houd het verslag aan van Bronwyn Winter, 'Women, the Law, and Cultural Relativism in France: The Case of Excision', *Signs* 19 (zomer 1994), blz. 939-974.
6. Geciteerd in ibid., blz. 951, uit een petitie ontworpen door Martine Lefeuvre en gepubliceerd in 1989 door de Mouvement Anti-Utilariste dans les Sciences Sociales (MAUSS). Ik heb de vertaling enigszins aangepast.
7. Ibid., blz. 957.
8. Ik wil benadrukken dat de strekking van mijn betoog niet is dat ik deze gebruiken wil criminaliseren; ik verlang slechts een bepaalde vorm van overheidsingrijpen om ze

te stoppen. Winter pleit ten zeerste voor inspanningen om de processen van culturele reproductie te hervormen: onderwijs voor volwassenen, medische adviezen, enzovoort (ibid, blz. 966-972). Zie voor een andere 'case study', waarbij de auteur gelijksoortige conclusies bereikt: Raphael Cohen-Almagor, 'Female Circumcision and Murder for Family Honour Among Minorities in Israel', in: Kirsten E. Schulze, Martin Stokes en Colm Campbell, *Nationalism, Minorities and Diasporas: Identities and Rights in the Middle East* (Londen, I.B. Tauris, 1996), blz. 171-187.

9. Zie het innovatieve argument van Anna Elisabetta Galleoti in haar 'Citizenship and Equality: The Place for Toleration', *Political Theory* 21 (november 1993), blz. 585-605. Ik heb veel baat gehad aan mijn gesprekken met doctor Galleoti over de problemen met tolerantie in het hedendaagse Europa.

10. Zie voor een krachtig argument (dat mij zelfs te krachtig lijkt) tegen deze compromisregeling, Ian Shapiro, *Democracy's Place* (Ithaca, New York, Cornell University Press, 1996), hoofdstuk 6: 'Democratic Autonomy and Religious Freedom: A critique of *Winconsin v. Yoder*' (geschreven met Richard Arneson) en Amy Gutmann, 'Civil Education and Social Diversity', *Ethics* 105 (april 1995), blz. 555-579.

11. Zie de verzameling wetten, toespraken en traktaten in Lillian Schlissel, ed., *Conscience in America* (New York, E.P. Dutton, 1968).

12. Zie voor een krachtig en substantieel verslag over de educatieve vereisten van de liberale democratie Amy Gutmann, *Democratic Education* (Princeton, N.J., Princeton University Press, 1987).

13. *The Social Contract*, boek 4, hoofdstuk 8; de toepassing van deze term op de huidige civiel-religieuze gebruiken is het werk van Robert Bellah: zie *The Broken Covenant: American Civil Religion in Time of Trial* (New York, Seabury, 1975).

14. Zie voor een andere blik op fundamentalistische tegenwerpingen op liberale scholing Nomi Maya Stolzenberg, 'He Drew a Circle That Shut Me Out': Assimilation, Indoctrination, and the Paradox of Liberal Education', *Harvard Law Review* 106 (1993), blz. 581-667. De paradox is reëel genoeg, desondanks overdrijven de fundamentalistisch christelijke ouders over wie Stolzenberg met zoveel medeleven schrijft, het effect van de openbare scholen op hun kinderen. Niettemin verdienen de gewetensvolle bezwaren van de kant van deze ouders en hun kinderen hun plaats in een liberale samenleving: zie Sanford Levinsons bespreking van Stephen Carters *Culture of Disbelief* in de *Michigan Law Review* 92, nummer 6 (mei 1994), blz. 1873-1892.

15. De instelling van de dag van de arbeid als een feestdag in de Verenigde Staten biedt een interessant voorbeeld van wat wel en wat niet kan (of wat wel en wat niet moet worden gedaan). De eerste mei was de feestdag van de arbeidersbeweging en van de verschillende partijen en sekten die daarmee verbonden waren. Als feest had het een speciale en specifieke politieke betekenis waardoor het waarschijnlijk niet geschikt was voor een nationale viering. De nieuwe naam en datum van de feestdag openden nieuwe mogelijkheden voor een niet-specifieke en niet-ideologische viering niet zozeer voor de beweging van werkende vrouwen en mannen, maar voor deze mannen en vrouwen zelf.

16. Vergelijk Herbert Marcuse's betoog voor radicalere limieten: 'the withdrawal of tolerance before the deed, at the stage of communication in word, print and picture' ('Repressive Tolerance', in: Robert Paul Wolff, Barrington Moore Jr. en Herbert Marcuse, *A Critique of Pure Tolerance* (Boston, Beacon, 1965), blz. 109. Marcuse's pleidooi ontspruit aan het uitzonderlijke vertrouwen in zijn eigen vermogen 'de krachten der emancipatie' te herkennen en derhalve de tolerantie aan de vijanden ervan te weigeren.

Hoofdstuk 5:
Moderne en postmoderne tolerantie

1. Jean-Paul Sartre's algemeen bekende betoogtrant dat het antisemitisme de joodse identiteit als zodanig instandhoudt, kan op tal van minderheidsgroepen worden toegepast, maar zal waarschijnlijk niet worden aanvaard door hun leden (met name de meest toegewijde leden) die een reële waarde toekennen aan de geschiedenis en cultuur van de groep en die aannemen dat deze waarde de individuele identificatie genereert. Zie mijn voorwoord in *Anti-Semite and Jew*.

2. De zin wordt uitgesproken door een karakter in Robert Frosts narratieve gedicht 'Mending Wall' (*The Poems of Robert Frost* [New York, Modern Library, 1946], blz.35-36). De dichter onderschrijft dit niet helemaal.

3. Julia Kristeva, *Nations Without Nationalism*, vertaling van Leon S. Roudiez (New York, Columbia University Press, 1993), blz. 21 en passim. Zie ook Kristeva, *Strangers to Ourselves*, vertaling van Leon S. Roudiez (New York, Columbia University Press, 1991).

4. Kristeva, *Nations Without Nationalism*, blz. 35-43.

Epiloog:
Overpeinzingen over het Amerikaanse multiculturalisme

1. (New York: Knopf, 1963).
2. Irving Howe wijst op hetzelfde aspect met betrekking tot de links-progressieve associaties in zijn boek *Socialism and America* (San Diego, Harcourt Brace Jovanovich, 1985). Hierin beschrijft hij hoe socialistische militanten organisatoren van vakbonden of kaderleden worden en vervolgens doorschuiven naar functies binnen de Democratische Partij. Deze visie op het socialisme als 'voorbereidingsschool' voor doorsnee partijen en bewegingen biedt, zo meent Howe, geen troost voor socialisten. Opgaan in de hoofdstroom is zeer vaak een pijnlijke aangelegenheid. Zie zijn verslag, blz. 78-81, 141.
3. Dit is het argument van Robert Putnam in een aantal opstellen die nog niet zijn gebundeld. Ik heb critici horen betogen dat er in feite heden ten dage associaties in de Verenigde Staten zijn die groeiende zijn: diverse soorten staforganisaties die hun leden diensten aanbieden (zoals de American Association of Retired Persons), therapeutische groepen (zoals de Alcoholics Anonymous), netwerken in cyberspace, enzovoort. Maar het is volstrekt niet duidelijk of deze groepen dezelfde scholing en discipline aanbieden voor gemeenschapswerk, zoals de partijen, bewegingen en kerken waarover Putnam zich hoofdzakelijk buigt. Zie zijn 'Bowling Alone: America's Declining Social Capital', *Journal of Democracy* 6 (januari 1995), blz. 65-78.
4. De meeste informatie op de hiernavolgende lijst is af-

komstig van het U.S. Bureau of Census, *Statistical Abstract of the United States: 1994* 114de editie (Washington D.C., 1994); zie ook Andrew Hackers handige *U/S: A Statistical Portrait of the American People* (New York, Viking, 1983).

5. Dit is een overdrijving van het argument van Arthur M. Schlesinger Jr.'s *The Disuniting of America* (New York, Norton, 1992), maar niet van wat op de publicatie ervan volgde; op radio en tv, in krantencommentaren en columns, in tijdschriften, enzovoort.

6. A.D. Lindsay, *The Modern Democratic State*, deel 1 (het tweede deel is nooit verschenen; Londen, Oxford University Press, 1943), hoofdstuk 5.

7. Zie John Kenneth Galbraith, *American Capitalism: The Concept of Countervailing Power* (Boston, Houghton Mifflin, 1952), en Richard B. Freeman en James L. Medoff, *What do Unions Do?* (New York, Basic Books, 1984).

8. Gabriel A. Almond en Sidney Verba, *The Civic Culture: Political Attitudes and Democracy in Five Nations* (Princeton, N.J., Princeton University Press, 1963), met name hoofdstuk 10.

9. Zie het argument in Gutmann, *Democratic Education*.

Verantwoording

Dit boek heeft een ingewikkelde voorgeschiedenis. Het begon als een lezing, gesponsord door de Unione Italia del Lavoro. Hierin schetste ik de vijf 'regimes van tolerantie'. De lezing gaf ik in Palermo, later in Florence en daarna tijdens een congres over het nationalisme dat werd georganiseerd door Robert McKim en Jeff McMahan aan de Universiteit van Illinois (een congresbundel zal worden gepubliceerd door Oxford University Press). Ik reisde een tijd rond om deze lezing te geven en ontving bruikbare commentaren en enkele scherpe kritieken van vrienden en collega's in Italië, Canada, Engeland, Duitsland, Oostenrijk, Nederland en de Verenigde Staten. Hoewel ik hier niet iedereen kan noemen die mij heeft geholpen om na te denken over de problemen van tolerantie, ben ik hen allen dankbaar. Enkelen worden in het bijzonder vermeld in de eindnoten.

Ik begon de lezing uit te breiden om hun commentaren te verwerken en schreef vervolgens een artikel van gelijke strekking. Dit artikel is gepubliceerd in *Dissent* (lente 1994) onder de titel 'Multiculturalism and Individualism' en ging erover hoe tolerantie 'werkt' in de Verenigde Staten. Discussies met collega's en bezoekers aan het Institute for Advanced Study in Princeton zetten mij ertoe aan zowel de lezing als het artikel te herzien. Het comité voor de Castle Lectures bood mij een prima gelegenheid alle stukjes bij elkaar te passen en hun samenhang te testen tegenover een levendig en betrokken gehoor in Yale. Ian Shapiro organiseerde mijn bezoek aan New Haven en hielp mij over dit boek na te denken áls een boek. De redacteuren van de Yale University Press leverden als laatsten een lijst met commentaar en kritische opmerkingen; drie redacteuren, Jane Mansbridge, Susan Okin en Bernard Yack, lieten hun anonimiteit varen, zodat ik ze hier kan bedanken. Ik heb veel suggesties van hen opgevolgd. Dit boek zou ongetwijfeld beter zijn geweest (maar ook een stuk langer) als ik aan al hun adviezen gehoor had gegeven.

Register